THÉOGONIE
La naissance des dieux

Collection dirigée par Lidia Breda

Couverture : détail d'un lécythe à fond blanc,
Muse assise jouant de la cithare, vers 445 av. J.-C.

© 1981, Flammarion, pour l'essai de J.-P. Vernant
© 1993, Éditions Rivages
106, bd Saint-Germain, 75006 Paris

ISBN : 2-86930-608-3
ISSN : 1158-5609

Hésiode

Théogonie
La naissance des dieux

*Traduction, présentation et notes
de Annie Bonnafé*

*Précédé d'un essai
de Jean-Pierre Vernant*

Rivages poche
Petite bibliothèque

Genèse du monde, naissance des dieux, royauté céleste

par Jean-Pierre Vernant

1. COSMOGONIES

Le poème théogonique d'Hésiode se présente, tel qu'il nous a été transmis dans sa forme d'œuvre complète et systématique, comme le témoignage central, le document majeur dont nous disposons pour comprendre la pensée mythique des Grecs et ses orientations maîtresses dans le domaine cosmogonique.

Le premier problème est de savoir dans quel registre exactement doit se situer la lecture de ce texte. On ne saurait le traiter en simple fantaisie littéraire, encore qu'il s'inscrive dans la ligne d'une littérature que l'écrit a déjà commencé à fixer et qu'on y retrouve toute une série d'éléments formulaires empruntés à la tradition homérique. On peut cependant montrer que là même où les emprunts sont les plus directement attestés, la valeur des formules — morceaux de vers, vers entier ou groupe de vers — se trouve modifiée par de légers écarts pour produire, en se démarquant du modèle, l'effet de sens différentiel qu'exige le projet, non plus épique, mais théogonique du poète. On ne doit pas non plus lire Hésiode par référence aux systèmes philosophiques postérieurs : ils supposent l'élaboration d'un vocabulaire conceptuel et de modes de raisonnement différents de ceux du poète béotien. Son discours n'en traduit pas moins un puissant effort d'abstraction et de systématisation, mais qui s'exerce sur un autre plan et suivant une autre logique que la philosophie. Nous sommes donc en présence d'une pensée étrangère aux catégories qui nous sont habituelles : elle est à la fois mythique et savante, poétique et abstraite, narrative et systématique, traditionnelle et personnelle. C'est cette spécificité qui fait la difficulté et l'intérêt de la *Théogonie* hésiodique.

Théogonie, puisque c'est la race vénérée des dieux que chante Hésiode, sous l'inspiration des Muses qui, tandis qu'il paissait ses agneaux au pied de l'Hélicon, lui ont révélé la « Vérité », enseigné « tout ce qui a été et tout ce qui sera » (22 et 32). Son récit reproduit fidèlement le chant des Muses, celui dont elles charment les oreilles du Souverain des dieux en célébrant sa gloire, c'est-à-dire en réactualisant sans cesse par la parole sa généalogie, sa naissance, ses luttes, ses exploits, son triomphe. La narration hésiodique est donc indissolublement une théogonie, qui expose la suite des générations divines, et un vaste mythe de souveraineté relatant de quelle façon, à travers quels combats, contre quels ennemis, par quels moyens et avec quels alliés Zeus a réussi à établir sur tout l'univers une suprématie royale qui donne à l'ordre présent du monde son fondement et qui en garantit la permanence.

Mais cette parole de louange, pour être pleinement efficace, doit prendre la geste divine à ses débuts, en remontant à l'origine première, *ex archês* (45) ; elle s'enracine donc en un temps où ni Zeus ni les autres dieux olympiens, objets du culte, n'existaient encore. Le récit s'ouvre sur l'évocation de Puissances divines dont les noms, la place, le rôle marquent la signification cosmique. Ces dieux « primordiaux » sont encore assez engagés dans les réalités physiques qu'ils évoquent pour qu'on ne les puisse séparer de ce que nous appellerions aujourd'hui des forces ou des éléments « naturels ». Avant que l'univers ne devienne le théâtre des luttes pour la souveraineté entre les dieux proprement dits, il faut que le cadre où ces combats vont se dérouler soit mis en place, le décor planté. C'est cette partie du texte d'Hésiode, prélude à l'entrée en scène des Titans, premiers dieux « royaux », qui constitue au sein de la *Théogonie* la strate proprement cosmogonique.

« Donc avant tout vint à l'être Béance *(Chaos)*, écrit Hésiode, mais ensuite Terre au larges flancs *(Gaia eurusternos)*, assise sûre à jamais pour les Immortels qui occupent les cimes de l'Olympe neigeux et les Tartares de sombre brume, au tréfonds du sous-sol aux larges routes — et aussi Amour *(Erôs)*, le plus beau des dieux immortels, celui qui rompt les membres » (116-121). Chaos, Terre, Amour, telle est donc la triade de Puissances dont la genèse précède et introduit tout le processus d'organisation cosmogonique.

Comment faut-il entendre ce Chaos qu'Hésiode fait naître en tout premier ? On l'a interprété — et les Anciens déjà — en termes de philosophie : on y a vu soit le vide, l'espace comme pur réceptacle, l'abstraction du lieu privé de corps (Arist., *Phys.*, 208 b 26-33 et H. Fränkel), soit, comme les stoïciens, un état de confusion, une masse où se trouvent indistinctement mêlés tous les éléments constitutifs de l'univers, une *sugchusis stoicheiôn*, en rapprochant chaos de *cheesthai* : verser, répandre. Mais ces deux interprétations pèchent par anachronisme. De plus, si Chaos définit le vide, la pure négativité, comment admettre que ce *rien* puisse naître *(geneto)* ? Dans une perspective voisine, on a fait de Chaos l'équivalent de ce que l'épopée nomme : *aêr*, c'est-à-dire une brume, humide, sombre, non compacte. Que ces aspects soient présents dans Chaos, nul n'en disconviendra. Mais qu'on puisse identifier Chaos avec l'*aêr* en tant qu'élément, au sens que ce terme prend, avec Anaximène, dans les cosmogonies ioniennes, cela fait à tous égards difficulté. D'abord parce qu'Hésiode distingue lui-même *aêr* de Chaos (697-700) ; ensuite parce qu'*Erebos* et *Nux*, plus proches des valeurs d'*aêr*, naissent précisément de Chaos qui leur est donc, logiquement comme chronologiquement, antérieur.

On peut tenter aussi une interprétation « mythique » — et de plusieurs façons. Chaos désignerait l'espace entre le ciel et la terre (F.M. Cornford et G.S. Kirk) ; en le nommant pour commencer, Hésiode anticiperait sur la séquence de son récit où, mutilé par le coup de serpe castrateur que lui porte son fils Kronos, Ouranos-Ciel s'éloigne pour toujours de Gaia-Terre. L'espace aérien serait ainsi, au cours du texte, évoqué deux fois : au départ d'abord, avant même l'apparition de Gaia ; puis après la mise en place de Gaia et d'Ouranos disjoints l'un de l'autre, comme intervalle s'ouvrant entre les deux. Mais que pouvait bien être l'espace entre ciel et terre quand n'existaient encore ni le ciel ni la terre ?

Ne faut-il pas alors se représenter Chaos comme un gouffre sans fond, un espace d'errance indéfinie, de chute ininterrompue semblable à l'immense abîme, le *mega chasma* du vers 740, dans la description du Tartare : de cette ouverture béante, il nous est dit qu'on n'en atteindrait pas le fond, fût-ce au bout d'une année, mais qu'on ne cesserait pas d'y être emporté d'un côté, puis d'un autre, en tous sens, par des bourrasques, dont les souffles entremêlés confondent toutes les directions de l'espace.

En fait, pour comprendre la venue à l'être de Chaos, il faut le situer dans ses rapports d'opposition et de complémentarité avec Gaia, exprimés dans la formule : « *prôtista... autar epeita*, tout d'abord [fut Chaos]... mais ensuite [Terre]. » Le terme chaos se rattache, du point de vue étymologique, à *chaskô, chandanô*, béer, bâiller, s'ouvrir. La Béance qui naît avant toute chose n'a pas de fond comme elle n'a pas de sommet : elle est absence de

10

stabilité, absence de forme, absence de densité, absence de plein. En tant que « cavité », elle est moins un lieu abstrait — le vide — qu'un abîme, un tourbillon de vertige qui se creuse indéfiniment, sans direction, sans orientation. Cependant, en tant qu'« ouverture », elle débouche sur ce qui, lié à elle, est aussi son contraire. Gaia est une base solide pour marcher, une sûre assise où s'appuyer ; elle a des formes pleines et denses, une hauteur de montagne, une profondeur souterraine ; elle n'est pas seulement le plancher à partir duquel l'édifice du monde va se construire ; elle est la mère, l'ancêtre qui a enfanté tout ce qui existe, sous toutes les formes et en tous lieux, à la seule exception de Chaos lui-même et de sa lignée, qui constituent une famille de Puissances entièrement séparées des autres.

La vocation stabilisatrice, génératrice, organisatrice de Gaia se traduit par les qualificatifs qui lui sont dès le départ attribués : elle est un siège à jamais solide pour les Immortels ; elle l'est d'abord par les monts qu'elle dresse en hauteur vers le ciel (siège des Olympiens) ; elle l'est ensuite par les profondeurs qui la prolongent vers le bas (siège des Titans, ces dieux souterrains, *hupochthonioi*). Stable et sûre en sa vaste surface, s'étendant verticalement dans les deux sens, Gaia n'est pas seulement le contraire, la réplique positive du sombre Chaos ; elle est aussi son pendant. Du côté du ciel, elle se couronne de la blanche luminosité des neiges ; mais, vers le bas, elle plonge, pour s'y enraciner, dans la ténèbre obscure du Tartare qui représente, à son fondement, sur le plan spatial, cette même béance originelle, ce même abîme vertigineux, à partir duquel et contre lequel elle s'est constituée au tout début des temps. Aussitôt nommée, Gaia se présente, dans sa fonction d'assise pour les dieux, étirée entre les deux pôles du haut et du bas, tendue entre ses clairs sommets neigeux et son sombre fond souterrain. De la même façon, Chaos, aussitôt apparu, donne naissance à deux couples d'entités contraires : Érèbe *(Erebos)*

11

et noire Nuit *(Nux)* d'abord ; puis leurs enfants, Éther *(Aithêr)* et Lumière du Jour *(Hêmerê)*. Dans ce groupe de quatre, la disposition ne se fait pas au hasard. Dans chacun des deux couples, le premier nommé se situe de la même façon par rapport au second : *Erebos* est à *Nux* ce que *Aithêr* est à *Hêmerê*. D'un côté, un noir et un clair, isolés dans l'absolu de leur nature ; de l'autre un noir et un clair réunis dans leur mutuelle relativité. En effet Nuit et Jour ne sont pas dissociables ; ils se conjuguent dans leur opposition, chacun d'eux impliquant l'existence de l'autre, qui lui succède suivant une alternance régulière. En contraste avec la clarté et l'obscurité relatives d'un Jour et d'une Nuit qui se combinent pour former la trame du temps à la surface de la terre, Érèbe et Éther correspondent aux formes extrêmes et exclusives d'un Blanc et d'un Noir qui règnent sans partage au plus haut et au plus bas. Éther est la brillance d'un ciel constamment illuminé, ignorant l'ombre des nuées comme celle de la nuit, le séjour de ces dieux bienheureux où le nocturne n'a aucune place. Érèbe est la Ténèbre complète et permanente, la Nuit totale que jamais ne percent les rayons du soleil, le noir radical auquel sont voués, dans leur prison cosmique, les dieux réprouvés, au-delà de la demeure de Nuit (744), cette demeure devant laquelle, précisément, Jour et Nuit se rencontrent, s'interpellent, échangent leur position, s'ajustant l'un à l'autre pour équilibrer exactement leur parcours (748-757).

Si de Chaos naissent, à côté d'Érèbe qui en est comme le prolongement direct, une Nuit qui déjà voisine avec la lumière diurne, et surtout la pure luminosité d'Éther comme celle, plus mêlée, de Jour, il n'est pas possible de le réduire, ainsi que le fait H. Fränkel, au Non-Être s'opposant à l'Être, à l'Autre en face du Même, ou, comme Paula Philippson, à la Non-Forme, en bref à la pure négativité. Il est bien exact que si l'on veut traduire en termes philosophiques le problème qu'on imagine sous-jacent au discours cosmogonique d'Hésiode, on devra le formuler, avec H. Fränkel, de la façon suivante : « Tout ce qui est existe par le fait que spatialement, temporellement et logiquement, il repose contre un vide non-être. Et il est déterminé pour ce qu'il est, en se définissant contre ce qui n'est pas : le vide. Ainsi donc, le tout du monde, et toute chose au monde, chacune, selon son rang, a des limites où elle se heurte contre le vide » (*Dichtung...*, pp. 148-9 ; texte cité dans la traduction de Cl. Ramnoux, *La Nuit...*, p. 85). S'exprimer ainsi c'est déjà biaiser, forcer le texte hésiodique en l'éclairant de la lumière conceptuelle. Dire que le problème ne se pose pas, dans la *Théogonie*, en ces termes ne serait même pas suffisant ; à la vérité, le problème ne s'y trouve pas posé du tout. Hésiode ne répond pas à une difficulté théorique préalable. Il nous convie à revivre une naissance ; il raconte un processus de genèse *(geneto)*. Ce qui vient à l'être, c'est d'abord Béance et puis Terre. Ces deux Puissances sont liées non seulement comme les deux aspects successifs d'un seul et même procès de genèse, mais parce que le rapport de tension, qui les oppose et les unit à l'origine, ne cesse jamais de les tenir attachées l'une à l'autre. Dans l'univers différencié et ordonné, Gaia « tient » encore à Chaos qui demeure présent, au plus profond, au centre d'elle-même, comme cette réalité *contre* laquelle il lui a fallu et il lui faut encore s'établir — en donnant au mot *contre* ses deux sens : en opposition d'abord à une Béance, écartée, isolée, colmatée par tout un appareil de portes, de murs, de remparts, de planchers, de socles scellés, de seuil d'airain inébranlable ; mais aussi en prenant appui sur une Béance dont Terre ne peut pas plus se passer pour subsister que pour naître.

La dépendance de Gaia par rapport à Chaos est donc autrement complexe que celle de l'être à l'égard du non-être. Chaos n'est pas simplement le négatif de Gaia. Il produit cette lumière sans laquelle aucune forme ne serait visible. Inversement, Gaia, qui engendre tout ce qui a densité et figure, est elle-même qualifiée de *dnophera*

13

(736), épithète de *Nux* (101) : c'est la terre obscure, la terre noire. Entre les deux entités primordiales, il y a des glissements, des passages, des recoupements qui s'accusent au fur et à mesure que l'une et l'autre développent cette dynamique de la genèse qu'elles portent en elles par leur puissance d'engendrement. Elles sont liées, mais elles ne s'unissent pas. Aucun enfant de la descendance de Chaos ne dormira avec une progéniture de Gaia. Ce sont deux strates qui s'enveloppent et s'étayent réciproquement sans se jamais mêler. Et s'il arrive que les mêmes entités se retrouvent dans les deux lignées différentes (comme *Apatê*, Tromperie et *Philotês*, Tendresse amoureuse), ce n'est jamais le fruit d'un métissage mais la marque qu'en dépit de leur contraste, il peut y avoir, d'une Puissance primordiale à l'autre, des effets de résonance et comme une sorte d'oscillation.

La présence d'Éros, à côté de Chaos et Gaia, dans la triade première ne va pas sans poser des problèmes. Éros ne peut figurer la puissance d'attraction qui conjoint les contraires, qui unit le mâle et la femelle dans la procréation d'un nouvel être différent de ceux qui l'ont engendré : Chaos et Gaia ne s'unissent pas l'un à l'autre et les enfantements que chacun d'eux produira, au début de la genèse, s'effectuent sans union sexuelle ; Chaos et Gaia tirent d'eux-mêmes les enfants qu'ils font venir à l'être. D'autre part, quand Hésiode précise qu'une divinité enfante après s'être unie sexuellement ou en dehors de cette union, il ne dit pas que le rejeton a été conçu avec l'aide d'Éros ou sans lui, mais avec ou sans *philotês* (125, 132). Enfin, la naissance d'Aphrodite marque le moment où le processus générateur va être soumis à des règles strictes, où il va s'opérer, sans confusion et sans excès, par l'union momentanée de deux principes contraires, masculin et féminin, rapprochés par le désir, mais maintenus à distance par l'opposition de leur nature. Dès qu'Aphrodite est née, *Himeros* (Désir) et Éros s'ajustent à la déesse qui va dès lors présider à l'union sexuelle, posée comme la condition nécessaire de toute procréation normale. Plus vieux qu'Aphrodite à laquelle il s'adapte et s'associe le moment venu, Éros représente une puissance génératrice antérieure à la division des sexes et à l'opposition des contraires. C'est un éros primordial comme celui des orphiques — en ce sens qu'il traduit la puissance de renouvellement à l'œuvre dans le processus même de la genèse, le mouvement qui pousse d'abord Chaos et Gaia à émerger successivement à l'être puis, aussitôt nés, à produire à partir d'eux-mêmes quelque chose d'autre qui, tout en les prolongeant, se pose en face d'eux — à la fois leur reflet et leur contraire. Ainsi se constitue un monde où il existe, associés et confrontés, des partenaires qui vont donner à la genèse, au fur et à mesure qu'elle se poursuit, un cours dramatique, fait de mariages, de procréations, de rivalités entre générations successives, d'alliances et d'hostilité, de combats, d'échecs et de victoires.

Mais avant que le poème cosmogonique ne débouche dans le récit de la grande geste divine, il faut que Gaia, par sa puissance d'enfantement, achève de produire tout ce qui manque encore au monde pour en faire véritablement un univers. Gaia donne d'abord naissance à Ciel étoilé *(Ouranos asteroeis)* ; elle le produit « égal à elle-même » afin qu'il la recouvre et l'enveloppe de partout (126-7). Le dédoublement de Gaia pose, en face d'elle, un partenaire masculin qui apparaît à son tour, comme Terre elle-même et comme Chaos, étiré entre l'obscur et le lumineux : c'est le sombre ciel nocturne, mais constellé d'étoiles. Ce double aspect répond au rôle que Ciel sera amené à jouer quand il se sera définitivement éloigné de Gaia : refléter, en clair ou en ténébreux, l'alternance du Jour et de la Nuit qui se succèdent dans l'intervalle entre la terre et le ciel. Parce qu'il est égal à Gaia-Terre, Ouranos-Ciel la recouvre exactement quand il s'étend sur elle ; peut-être même faut-il comprendre cette égalité dans le sens qu'il l'enveloppe jusque dans ses profondeurs en s'étendant tout autour d'elle. Quoi qu'il en soit, à la tension primitive Béance-Terre, succède un équilibre Terre-Ciel, dont l'entière symétrie fait du monde un ensemble organisé et fermé sur lui-même, un cosmos. Les dieux bienheureux peuvent y habiter comme en un palais en toute sûreté (128), chacun d'eux à la place qui lui est réservée. Gaia enfante alors les hautes montagnes qui marquent son affinité avec le rejeton Ciel qu'elle vient de produire. Mais qui dit montagnes dit aussi vallons (point de montagne sans vallée, de la même façon qu'il n'est pas de chaos sans terre, de terre sans ciel, ni d'obscurité sans lumière). Ces vallons serviront de séjour à une catégorie particulière de divinités : les Nymphes. Comme elle a produit Ciel étoilé, Gaia enfante enfin, à partir d'elle-même, son double et son contraire liquide, *Pontos*, Flot marin, dont les eaux sont tantôt d'une clarté limpide *(atrugetos)*, tantôt obscurcies par de chaotiques tempêtes.

Ainsi s'achève la première phase de la cosmogonie. Jusqu'ici, les Puissances qui sont venues à l'être se présentent comme des forces ou des éléments fondamentaux de la nature (*cf.* 106-110). Le théâtre du monde est maintenant dressé pour l'entrée en scène d'acteurs divins de type différent. Gaia ne les produit plus en les tirant de son propre fond. Elle s'unit d'amour, pour les enfanter, à un partenaire masculin. D'un mode de procréation à l'autre, le changement est comparable à celui qui fait naître Gaía après Chaos ; dans les deux cas, même formule pour exprimer la mutation : *autar epeita*, mais ensuite (116 et 132).

Des embrassements d'Ouranos, Gaia engendre trois séries d'enfants : les douze Titans et Titanes, les trois Cyclopes, les trois Cent-Bras *(Hekatogcheires)*. La portée des Titans comprend six garçons et six filles. Kronos, le plus jeune, rival direct de Zeus dans la lutte pour la royauté du ciel, est nommé à part, le dernier. L'ensemble des autres se trouve comme encadré d'un côté par Okéanos, cité le premier (aussitôt après l'évocation de

Pontos auquel il s'oppose par sa double origine : céleste autant que terrestre), de l'autre par Téthys, mentionnée en fin de liste, juste avant Kronos. La première génération des dieux fils de Terre et de Ciel, en tant qu'ils représentent déjà l'ensemble du cosmos, sont comme inclus dans le couple Okéanos-Téthys. Associée à *Phoibè*, la Brillante *Koios* a sans doute rapport à la voûte du ciel, comme Phoibè sa sœur et compagne, à la lumière céleste. *Kreios* (ou *Krios*), qui évoque la supériorité, la suprématie, épousera une fille de Pontos, *Eurubiê* (375-7), Large Violence, et leur fils Pallas enfantera à Styx, l'Océanide, les deux Puissances qui attachées à la personne de Zeus assureront sa souveraineté, *Kratos*, Pouvoir, et *Biè*, Force violente (385-8). *Huperiôn*, Celui qui va en haut, s'unit à sa sœur *Theia*, la Lumineuse ou la Visible, qui met au monde le Soleil, la Lune, Aurore enfin *(Eôs)*, mère des astres, de l'étoile du matin, des vents réguliers. A certains égards, Hypérion et Theia rappellent Poros et Tekmôr, de la cosmogonie d'Alcman. Comme eux, ils traduisent, dans le ciel, les aspects de rotation régulière, de tracés lumineux, de configurations astrales bien délimitées, qui font de la voûte céleste un espace différencié et orienté. Japet, uni à Klyménè, fille d'Okéanos, est le père d'une lignée de rebelles, Atlas, Ménoitios, Prométhée, Épiméthée, tous excessifs en leurs ambitions, leur force, leur subtilité ou leur imprévoyance. Tous agissent en marge de l'ordre contre lequel ils se révoltent. Les deux derniers, dans leurs démêlés avec Zeus, causeront le malheur des humains. Thémis et Mnémosynè ont plus d'affinité avec la terre qu'avec le ciel. Thémis représente ce qui est fixe et fixé ; elle est une puissance oraculaire : elle dit l'avenir comme déjà établi. *Mnémosunê*, Mémoire, mère des Muses (54), connaît et chante le passé comme s'il était toujours là. Toutes deux, par leur mariage avec Zeus, lui apportent cette vision totale du temps, cette coprésence à l'esprit de ce qui a été, est et sera — dont il a besoin pour régner. Rheia, compagne de Kronos, est toute proche de Gaia. Elle est une Mère, attachée à ses enfants et prête à les défendre même contre le père qui les a engendrés. Elle est une puissance de ruse qui détient, comme Gaia, une sorte de savoir primordial.

Les Titans se répartissent donc entre la terre et le ciel, parfois davantage d'un côté, parfois plutôt de l'autre. Aucun n'est une puissance physique simple à la façon d'Ouranos ou de Gaia. Cependant, leur personnage de dieu n'est pas entièrement dégagé des forces élémentaires. Ils gardent des aspects primordiaux, mais ils répondent à un univers déjà plus complexe et mieux organisé : les couples Koios-Phoibè, Hypérion-Theia sont plus particularisés, mieux délimités que Ciel étoilé ; Thémis, Mnémosynè, Rheia spécifient et précisent certains traits de Gaia. Tous les Titans et Titanes ne combattront pas Zeus. Certains resteront neutres ; d'autres se rangeront à ses côtés pour lui apporter l'appui de ces pouvoirs et savoirs primordiaux dont il ne pourrait se passer. Mais considérés dans leur ensemble comme ce groupe de divinités qu'ont engendré Ouranos et Gaia, ils constituent la première génération des dieux maîtres du ciel, les premiers dieux à vocation royale. Sous la conduite de Kronos, qui les représente et les mène, ils font figure d'adversaires directs des dieux de la seconde génération, les Olympiens, contre lesquels ils engagent une bataille dont l'enjeu est, avec la souveraineté du monde, la répartition des prérogatives et des honneurs dus à chaque puissance divine, c'est-à-dire la mise en ordre définitive de l'univers.

Frères des Titans, Cyclopes et *Hekatogcheires* (Cent-Bras) ont en commun, avec des traits monstrueux, la brutalité et la violence d'êtres tout primitifs. Bien différents des sauvages pasteurs de l'*Odyssée,* les Cyclopes d'Hésiode, avec leur œil unique au milieu du front, joignent à leur force sans pareille les habiles savoir-faire, les ingénieux tours de main d'adroits métallurgistes (*mêchanai,* 146). Du feu brut, que Gaia dissimule en ses profondeurs, ils feront, en le façonnant, un instrument utilisable, l'arme absolue de la victoire : la foudre. Dans leurs noms : *Brontês* (Tonnant), *Steropês* (Éclatant), *Argês* (Éclairant), on entend rouler le vacarme, on voit briller l'éclat de l'arme qu'ils remettront à Zeus et qui s'apparente à la puissance magique d'un regard fulgurant.

Comme les Cyclopes confèrent à Zeus, en temps voulu, le privilège de la suprématie du regard par le flamboiement d'un œil de foudre, les *Hekatogcheires* lui apportent, au moment décisif, l'extrême puissance de la main et du bras. Par leurs membres prodigieusement multipliés, qui jaillissent en souplesse tout autour des épaules, Kottos, Briarée et Gugès (ou Gyès) sont des combattants invincibles, des guerriers possédant le secret de prises imparables, capables d'imposer à tout ennemi la maîtrise de leur terrible poigne.

Avec la triple descendance d'Ouranos et de Gaia, les acteurs sont en place qui joueront le dernier épisode du processus cosmogonique. Ouranos, dans la simplicité de sa puissance primitive, ne connaît d'autre activité que sexuelle. Vautré sur Gaia, il la recouvre en son entier et s'épanche en elle, sans cesse, dans une interminable nuit. Ce constant débordement amoureux fait d'Ouranos celui qui « cache » ; il cache Gaia sur laquelle il vient s'étendre ; il cache ses enfants au lieu même où il les a conçus, dans le giron de Gaia qui gémit, encombrée en ses profondeurs du fardeau de sa progéniture. Ouranos, le géniteur, bloque le cours des générations en empêchant ses petits d'accéder à la lumière comme le jour d'alterner avec la nuit. Éperdu d'amour, collé à Gaia, plein de haine envers ses enfants qui pourraient s'interposer entre elle et lui s'ils grandissaient, il rejette ceux qu'il a engendrés dans les ténèbres de l'avant-naissance, au sein même de Gaia. L'excès de sa puissance sexuelle désordonnée immobilise la genèse. Aucune « génération » nouvelle ne peut apparaître aussi longtemps que se perpétue cet engendrement incessant qu'Ouranos accomplit sans trêve en restant uni à Gaia. Il ne laisse place ni à un espace au-dessus de Gaia ni à une durée, faisant naître, l'une après l'autre, les lignées de divinités nouvelles. Le monde serait resté figé en cet état si Gaia, indignée d'une existence rétrécie, n'avait imaginé une ruse perfide, qui va changer la face des choses. Elle crée le blanc métal acier, elle en fait une serpe ; elle exhorte ses enfants à châtier leur père. Tous hésitent et tremblent, sauf le plus jeune, Kronos, le Titan au cœur audacieux et à l'astuce retorse. Gaia le cache, le place en embuscade ; quand Ouranos s'épand sur elle dans la nuit, Kronos d'un coup de serpe lui tranche les parties sexuelles. Cet acte de violence aura des conséquences cosmiques décisives. Il éloigne à jamais le Ciel de la Terre, il le fixe au sommet du monde comme le toit de l'édifice cosmique. Ouranos ne s'unira plus à Gaia pour produire des êtres primordiaux. L'espace s'ouvre, et cette déchirure permet à la diversité des êtres de prendre leur forme et de trouver leur place dans l'étendue et dans le temps. La genèse se débloque, le monde se peuple et s'organise.

Cependant, ce geste libérateur est en même temps un horrible forfait, une rébellion contre le Ciel-Père. Tout se passe comme si l'ordre cosmique, avec les hiérarchies de pouvoir, les différenciations de compétence qu'il suppose chez les dieux, ne pouvait être institué qu'au moyen d'une violence coupable, d'une ruse perfide dont il faudra payer le prix. Ouranos mutilé, écarté, impuissant, lance contre ses fils une imprécation qui institue pour tout l'avenir cette loi du talion dont Kronos, promu en raison de sa retorse audace souverain du ciel, fera le premier l'expérience. La lutte, la violence, la fraude ont fait, avec le coup de serpe de Kronos, leur entrée sur la scène du monde. Zeus lui-même ne sera pas plus en mesure de les supprimer que Gaia ne peut se passer de Chaos : il pourra seulement les éloigner des dieux, les écarter, en les reléguant au besoin chez les hommes.

Avant que le rideau ne tombe sur la partie cosmogonique du poème d'Hésiode et que la scène ne s'ouvre aux grandes batailles divines pour la royauté du monde, deux dernières séquences illustrent cette nécessaire inscription de la guerre, de la ruse, de la vengeance, du châtiment et, plus généralement, des Puissances mauvaises au fondement même de l'univers organisé : la naissance d'Aphrodite, les enfants de la nuit.

La naissance d'Aphrodite d'abord. Kronos tient dans sa main gauche le sexe d'Ouranos qu'il a tranché d'un coup de serpe, avec la droite. Il s'en débarrasse aussitôt, jetant les débris sanglants par-dessus son épaule, sans regarder, pour conjurer le mauvais sort. Peine perdue. Les gouttes du sang céleste tombent sur Gaia, la Terre noire, qui toutes les reçoit en son sein. Le sexe, projeté plus loin, s'en vient chuter dans les flots liquides de Pontos, qui le porte jusque vers le large. Ouranos, émasculé, ne peut plus se reproduire ; mais en ensemençant Terre et Flot, son organe géniteur va réaliser la malédiction qu'il a lancée à la face de ses enfants : que l'avenir tirerait vengeance de leur forfait (210). Sur Terre, les gouttes de sang vont faire naître trois groupes de puissances divines : celles qui prennent en charge la poursuite de la vengeance, la punition des crimes commis sur la personne des parents (Érinyes), celles qui patronnent les entreprises guerrières, les activités de lutte, les épreuves de force (Géants et Nymphes des frênes, *Meliai*). Longtemps en gestation dans le sein de Gaia (184), ces Puissances, au cours d'un temps désormais débloqué, mûriront ; elles se déploieront dans le monde le jour où Zeus sera devenu en état (493) de venger Ouranos en faisant payer à Kronos « la dette due aux Érinyes de son père » (472) ; alors se déclenchera dans le monde divin un conflit sans merci, une guerre inexpiable, l'épreuve de force qui le divisera contre lui-même.

Longtemps porté sur les vagues mouvantes de Flot, le sexe tranché d'Ouranos mêle à l'écume marine qui l'entoure l'écume du sperme jailli de sa chair. De cette écume *(aphros)* naît une fille, que dieux et hommes appellent Aphrodite. Dès qu'elle met le pied à Chypre, où elle aborde, Amour et Désir (Éros, Himéros) lui font cortège. Son lot, chez les mortels et les Immortels, ce sont les babils de fillettes, les sourires, les tromperies *(exapatai)*, le plaisir, l'union amoureuse *(philotês)*.

La castration d'Ouranos engendre donc, sur Terre et sur Flot, deux ordres de conséquences, inséparables dans leur opposition : d'un côté, violence, haine, guerre ; de l'autre, douceur, accord, amour. Cette nécessaire complémentarité des puissances de conflit et des puissances d'union, également issues des parties sexuelles d'Ouranos, se marque d'abord dans le régime des procréations que la mutilation du dieu a inauguré. Quand Ouranos s'unissait à Gaia, dans une étreinte indéfiniment répétée, l'acte d'amour, faute de distance entre les partenaires, aboutissait à une sorte de confusion, d'identification qui ne laissait pas place à une progéniture. Désormais, avec Aphrodite, l'amour s'accomplit par l'union des principes qui restent, dans leur rapprochement même, distincts et opposés. Les contraires s'ajustent et s'accordent, ils ne fusionnent pas. Comme écartelée, la puissance primordiale d'Éros s'exerce à travers la différenciation des sexes. Éros s'associe à Éris, Lutte, cette Éris que, dans *Les Travaux et les Jours*, Hésiode placera « aux racines de la terre » (19).

Le monde va donc s'organiser par mélange des contraires, médiation entre les opposés. Mais, dans cet univers de mixtes où s'équilibrent puissances de conflit et puissances d'accord, la ligne de partage ne s'établit pas entre le bien et le mal, le positif et le négatif. Les forces de la guerre et celles de l'amour ont également leurs aspects clairs et leurs aspects sombres, bénéfiques et maléfiques. Le rapport de tension qui les maintient écartées les unes des autres se manifeste aussi bien en chacune d'entre elles, sous forme d'une polarité, d'une ambiguïté immanente à sa propre nature.

Terrifiantes, implacables, les Érinyes sont aussi les indispensables auxiliaires de la Justice, dès lors qu'elle a été violée. L'ardeur guerrière des Méliai et des Géants

« aux armes étincelantes, aux longues javelines » est celle-
là même que les Cent-Bras mettront au service de Zeus
pour qu'il fasse triompher l'ordre. De son côté, si
Aphrodite ne connaît ni la violence vengeresse ni la
brutalité guerrière, la rusée déesse met en œuvre des armes
qui ne sont pas moins efficaces ni dangereuses : le charme
des sourires, les piperies du babil féminin, l'attrait périlleux
du plaisir et toutes les tromperies de la séduction.

On comprend alors pourquoi la séquence des Enfants
de Nuit vient immédiatement s'enchaîner à l'épisode de
la castration d'Ouranos, avec la naissance, face aux
terrestres Érinyes, Géants, et Méliai, de l'Aphrodite marine
— épisode qui s'achève sur la malédiction du dieu-Ciel
contre ses enfants.

Fille de Chaos, Nuit enfante, sans s'unir à quiconque,
comme des émanations qu'elle tire de son propre fond,
toutes les forces d'obscurité, de malheur, de désordre et
de privation à l'œuvre dans le monde. Ces entités
témoignent, par leur existence, de la nécessaire inclusion
d'éléments « chaotiques » au sein de l'univers organisé.
Elles sont comme l'envers de l'ordre, le prix à payer pour
assurer l'émergence d'un cosmos différencié, l'individuali-
sation précise des êtres et de leurs formes.

Sans entrer dans le détail d'une série de Puissances qui
concernent, pour l'essentiel, le monde des hommes — ce
monde du mélange où tout bien a son revers, où vie et
mort, comme Jour et Nuit, sont liées —, on notera qu'en
dehors de Trépas qui, sous un triple nom, ouvre la liste,
associé à Sommeil et à la race des Songes, la plupart de
ces entités se répartissent en deux groupes qui recoupent,
dans les registres de l'obscur et du chaotique, les deux
catégories de divinités issues, par Terre et Flot, des
génitoires tranchées d'Ouranos. Aux Érinyes répondent
exactement Némésis et les Kères, implacables vengeresses,
à la poursuite des fautes contre les dieux ou les hommes,
déesses dont le courroux n'a de cesse que les coupables
n'aient reçu leur châtiment. Aux Géants et Nymphes des

frênes font écho, sur un mode pleinement sinistre, l'odieuse Lutte, *Eris stugerê*, avec son cortège de Mêlées, Combats, Meurtres et Tueries. Aphrodite elle-même, l'Aphrodite d'or (mais il existe aussi une Aphrodite noire, *Melainis*), trouve, parmi les enfants de Nuit, les Puissances qui incarnent ses pouvoirs, ses moyens d'action, ses privilèges de déesse. Les babils de jeunes filles *(parthenioi oaroi)*, les tromperies *(exapatai)*, l'union amoureuse *(philotês)* qu'elle a pour apanage, Nuit les a reproduites en taillant dans le tissu de l'obscurité ces sombres sorcières qui s'appellent Mots menteurs *(Pseudea)*, Tromperie *(Apatê)*, union amoureuse *(Philotês)*.

Au terme du processus cosmogonique, l'acte de violence qui a éloigné Ouranos, ouvert l'espace entre ciel et terre, débloqué le cours du temps, équilibré les contraires dans la procréation, est aussi celui en qui viennent converger et comme se confondre l'obscure puissance primordiale de Chaos et ces jeunes divinités dont la naissance marque la venue d'un nouvel ordre du monde. Par la faute de Kronos — cette faute qui place la rébellion et le désordre au fondement de l'ordre —, les enfants de Nuit se répandent jusque dans le monde divin ; pour les besoins de la vengeance, ils le livrent, en pleine gestation, à la lutte et à la guerre, à la ruse et à la tromperie. Ce sera la tâche de Zeus d'expulser l'engeance nocturne hors des régions éthérées, de la rejeter du séjour lumineux des dieux olympiens, en l'exilant au loin, en la reléguant chez les hommes, de même qu'il lui faudra, par les portes d'airain que, sur son ordre, Poséidon scelle derrière les Titans, écarter, isoler à jamais du Cosmos l'abîme béant et chaotique du Tartare.

2. THÉOGONIE ET MYTHES DE SOUVERAINETÉ

La phase cosmogonique de la *Théogonie*, telle que la chante Hésiode, s'achève avec la mutilation de Kronos et ses conséquences : la séparation du ciel et de la terre, la venue à la lumière de la nouvelle génération des dieux Titans, l'apparition des Puissances de conflit, de vengeance, de guerre et, en contrepartie, la naissance d'Aphrodite, maîtresse des unions amoureuses.

Quelles sont, à ce stade, les divinités qui composent l'univers ? Gaia d'abord, avec ses montagnes élevées, ses profondeurs souterraines et, en son ultime fond, ce lieu tartarien qui, comme un ombilic, rattache l'ensemble de l'édifice cosmique au chaos primordial dont il est issu. Ouranos ensuite, maintenant immobilisé au sommet éthéré du monde : de ses hauteurs, les nouveaux dieux, maîtres du ciel, pourront surveiller tout ce qui se passe jusqu'aux derniers confins de leur empire. Pontos enfin, Flot salé, inépuisable masse liquide, en perpétuelle mouvance, défiant les prises, rebelle à l'entrave des formes. Pontos engendre Nérée, le Vieux de la Mer, en qui se concentrent toutes les vertus bénéfiques, toute la subtilité fluide des eaux marines. A Nérée, Doris, l'Océanine, donne cinquante filles, les Néréides, qui traduisent, à l'image de leur géniteur, des aspects de la mer, de la navigation, du savoir intelligent, de la loyauté, de la justice. En revanche, dans son union avec Gaia, Pontos manifeste l'autre face de l'élément marin : son absence de forme ; leur couple fait naître une lignée d'êtres monstrueux, hybrides mi-hommes mi-serpents, femmes-oiseaux, insaisissables, rapides, violentes comme les vents.

Mais ce sont les enfants d'Ouranos et de Gaia qui occupent désormais le devant de la scène, en particulier le plus jeune, le plus audacieux, le plus rusé d'entre eux, Kronos à l'astuce retorse. En se retirant de Gaia, Ouranos leur a laissé le champ libre. Ils ne sont plus bloqués dans les entrailles de la terre. Chacun se met en place, s'associe une de ses sœurs ou se choisit une compagne parmi ses cousines et ses nièces, établissant ainsi entre les lignées issues de Gaia, d'Ouranos, de Pontos une série d'alliances qui tissent, d'un domaine cosmique à l'autre, un réseau plus serré de connexions. Okéanos et Téthys produisent, en la personne des fleuves, des sources, des courants souterrains, toutes les eaux nourricières, dispensatrices de vie. Hypérion et Theia engendrent Hélios (Soleil), Sélénè (Lune), Éôs (Aurore) : puissances célestes, lumineuses, réglées. Koios et Phoibè ont deux filles ; la première, Léto, toute douceur, donnera à Zeus Apollon et Artémis ; la seconde, Astérie, est la mère d'Hécate qui occupe, aux yeux d'Hésiode, dans l'économie du monde divin, une place à part : sa puissance s'exerce sur la terre et la mer autant qu'au ciel ; ses honneurs et ses privilèges, unanimement reconnus par les dieux, ne seront jamais mis en question, par aucun des deux camps, au cours de la grande guerre où s'affrontent les enfants d'Ouranos et ceux de Kronos : Hécate se situe en marge et au-dessus du conflit entre Titans et Olympiens. A ces trois premiers couples de frères et sœurs, il faut ajouter deux Titans, Japet d'abord qui, uni à l'Océanine Klymènè, donne naissance à une lignée de rebelles ; Krios ensuite, auquel la fille de Pontos, Eurybiè, enfante des garçons joignant à la supériorité de la force la rectitude de l'action : Astraïos, père des vents réguliers, par son union avec Éôs ; Persès, époux d'Astérie et père d'Hécate ; Pallas, à qui l'Océanine Styx donne Kratos et Biè, Pouvoir et Force : tous deux se rangeront le jour venu aux côtés de Zeus. Deux Titans, à leur tour, se marient en dehors de leurs frères : Thémis et Mnémosynè. A la couche de Zeus elles apporteront, la première, les *Hôrai* (Saisons) et les *Moirai* (Destinées), la seconde les *Mousai* (Muses). Le dernier couple de Titans est celui de Kronos et de sa sœur Rheia. Seul de tous ses frères à avoir osé, à l'instigation de Gaia, émasculer Ouranos, Kronos n'a pas seulement conquis la liberté : avec l'accord et l'appui des autres Titans, il est le maître d'un univers désormais constitué, le souverain du monde, le roi des dieux. Premier monarque — suivant la tradition hésiodique —, Kronos est bien différent de son père Ouranos et les problèmes qu'il lui faut affronter sont tout autres. Ouranos s'abandonnait sans défense à ses appétits sexuels ; il ne voyait pas plus loin que le giron de Gaia. Kronos n'est pas une puissance débordant d'une vitalité excessive comme son père, il est un prince violent, retors et soupçonneux, toujours sur le qui-vive, constamment aux aguets. Régnant sur un empire différencié, hiérarchisé, c'est sa suprématie qui est l'objet de ses soins et de ses inquiétudes. L'exploit — fait d'audace et de fourberie — qui lui a ouvert le chemin du pouvoir a inauguré chez les dieux l'histoire des avatars de la souveraineté. La question qui était au cœur des mythes cosmogoniques était celle des rapports du désordre et de l'ordre ; avec l'instauration d'un premier roi du ciel et les luttes qui s'ensuivent pour l'hégémonie divine, le problème se déplace : l'accent porte désormais sur les rapports de l'ordre et du pouvoir.

Les débordements sexuels d'Ouranos, en empêchant ses enfants de naître, bloquaient le cours de la genèse. La conduite de Kronos envers les siens, pour n'être pas plus tendre, s'inspire de raisons strictement « politiques » : il s'agit d'empêcher un de ses fils d'obtenir à sa place « l'honneur royal parmi les Immortels » (461-2). Au récit d'une genèse s'est substitué un mythe de succession au pouvoir. Comment le monarque, même divin, peut-il éviter, au fil des ans, l'usure, le vieillissement de son autorité ? Kronos s'est hissé sur le trône en attaquant son père. La souveraineté qu'il a fondée repose sur un acte de violence, une traîtrise à l'égard de son « ancien », qui l'a maudit. Ne doit-il pas subir de la part de son fils le même traitement qu'il a infligé à son père ?

Si l'instauration de la suprématie, par l'épreuve de force qu'elle suppose, engage une injustice envers autrui, une contrainte imposée par un mélange de brutalité et de ruse, la lutte pour la domination ne va-t-elle pas renaître et rebondir à chaque génération nouvelle sans que la souveraineté puisse jamais échapper à cet engrenage de la faute et du châtiment que Kronos a déclenché du jour où, en mutilant Ouranos, il s'est emparé du pouvoir ? Et, dans ce cas, l'ordre du monde que chaque souverain des dieux institue à son avènement ne risque-t-il pas d'être indéfiniment remis en cause ? Tel est le problème auquel répond le récit de la guerre des dieux et de la victoire de Zeus.

Rheia a de Kronos, tour à tour, six enfants : Histiè, Déméter, Héra, Hadès, Poséidon et le cadet Zeus *mêtioeis*, Zeus le Rusé. Dès qu'elle accouche de l'un d'entre eux, Kronos, qui la guette, s'en saisit pour le dévorer. Ouranos refoulait sa progéniture dans le ventre de Gaia. Averti par ses parents que son destin était de succomber un jour sous son propre fils, Kronos boucle sa descendance, pour plus de sûreté, à l'intérieur du sien. Mais pour violent, pour rusé qu'il soit, le premier souverain va trouver plus fort et plus malin que lui. De concert avec Gaia et Ouranos, Rheia complote un plan de ruse, une *mêtis*, pour que Zeus, ultime rejeton, échappe au sort de ses prédécesseurs. A la guette vigilante de Kronos échappent les manœuvres secrètes de son épouse : elle accouche clandestinement, elle cache son fils en Crète, elle camoufle sous des langes une pierre ; elle l'offre, sous l'apparence trompeuse du nouveau-né, à la voracité de Kronos qui ne se doute de rien. Et cette ruse, tramée par son épouse et ses parents, en dupant l'astuce retorse du Premier Souverain, permet à son jeune dernier de conserver la vie à l'insu de son père pour bientôt, de force, le chasser du trône et régner à sa place sur les Immortels (489-91).

Ce thème de l'intelligence rusée, de l'astuce vigilante *(mêtis)*, arme nécessaire pour assurer à un dieu, en toute circonstance, quelles que soient les conditions de la lutte et la puissance de l'adversaire, la victoire et la domination sur autrui, chemine comme un fil rouge à travers toute la trame des mythes grecs de souveraineté. Seule la supériorité en *mêtis* y apparaît capable de conférer à une suprématie l'universalité et la permanence qui en font véritablement un pouvoir souverain. Le roi du ciel doit disposer, en

28

dehors et au-delà de la force brutale, d'une intelligence habile à prévoir au plus loin, à tout machiner à l'avance, à combiner, en sa prudence, moyens et fins jusque dans le détail, de telle sorte que le temps de l'action ne comporte plus d'aléas, que l'avenir soit sans surprise, rien ni personne ne pouvant plus prendre le dieu à l'improviste ni le trouver démuni.

Entre Kronos et Zeus, Titans et Olympiens, la rivalité se traduit, sur le terrain, en une épreuve de force, mais le secret du succès est ailleurs : comme le dit le *Prométhée* d'Eschyle, la victoire devait revenir « à qui l'emporterait, non par force et violence, mais par ruse » (212-213). Et dans la perspective de la tragédie, c'est Prométhée, l'*aiolomêtis*, le prodigieux malin, « capable même à l'inextricable de trouver une issue », le débrouillard fertile en inventions, qui livre à Zeus le stratagème dont son camp a besoin. Dans la version d'Hésiode, la marche de Zeus vers le pouvoir se place également, dès le départ, sous le signe de l'astuce, de l'adresse, de la tromperie, et son triomphe se trouvera comme consacré par ses épousailles en premières noces avec l'ondoyante et rusée déesse, patronne de l'intelligence avisée, l'Océanine Mètis.

Dans la *Bibliothèque* du Pseudo-Apollodore, c'est Mètis précisément qui donne à boire à Kronos un philtre *(pharmakon)* le contraignant à vomir, avec la pierre avalée à la place de Zeus, toute la suite des frères et sœurs qui vont appuyer l'Olympien dans sa lutte contre les Titans. Chez Hésiode, Mètis n'est pas nommée : il est question seulement d'une ruse, ourdie à l'instigation de Gaia, pour faire dégurgiter à Kronos toute sa descendance.

Libérée du ventre de leur père, la jeune lignée des Kronides fait face sur l'Olympe aux Titans juchés sur l'Othrys. La guerre s'engage et se poursuit, indécise, pendant dix ans. Mais Gaia a révélé à Zeus à quelles conditions lui reviendrait la victoire : il lui faut disposer de l'arme fulgurante que détiennent les habiles Cyclopes et s'assurer le concours, au combat, des terribles Cent-

Bras, avec leur force sans pareille. Autrement dit, la défaite des Titans passe par le ralliement à la cause des dieux nouveaux de divinités proches des anciens par leur filiation, leur nature et leur âge. Zeus ne peut espérer triompher qu'avec le soutien de Puissances incarnant la même vitalité originelle, la même vigueur cosmique primordiale qu'il s'efforce de réglementer en se soumettant les Titans. Pour instituer l'ordre, il faut un pouvoir capable de s'imposer aux forces de désordre ; mais pour s'imposer, à quelles sources d'énergie devrait s'alimenter ce pouvoir régulateur sinon à celles-là mêmes dont se nourrit, à l'origine, la dynamique du désordre ?

Cyclopes et Cent-Bras, frères des Titans, vont donc jouer les transfuges et passer dans le camp olympien. Il le faut bien. Détenteurs de l'arme absolue qu'est la foudre, maîtres des prises imparables et des liens infrangibles, ils sont les auxiliaires indispensables de la souveraineté. Pour justifier leur ralliement à Zeus, le mythe raconte que Kronos les avait laissés, ou placés de nouveau, après l'éloignement de leur père et geôlier commun Ouranos, dans un état de servitude dont Zeus seul devait les libérer. A peine les a-t-il affranchis de leurs chaînes que l'Olympien offre aux Cent-Bras nectar et ambroisie, consacrant ainsi leur pleine accession aux honneurs du statut divin. En reconnaissance de ces bienfaits, Cyclopes et Cent-Bras mettent à la disposition de Zeus une habileté et une force qui s'apparentent à celles des deux entités cosmiques dont ils sont issus. Ils font figure désormais, non plus de monstres primordiaux, mais de fidèles gardes de Zeus ; de la même façon, Kratos et Biè, Pouvoir et Force violente, enfants de Styx, sur le conseil du vieil Okéanos, leur aïeul, se sont précipités les premiers sur l'Olympe avec leur mère pour se mettre au service de Zeus, dont, à aucun instant, ils ne s'éloigneront plus (385 *sq.*).

Tout va alors se jouer très vite. Les Titans sont foudroyés par Zeus, ensevelis sous les pierres par les Cent-Bras qui les expédient, enchaînés, au Tartare brumeux où

Poséidon, sur eux, referme les portes d'airain, devant lesquelles les trois Cent-Bras, au nom de Zeus, montent la garde.

L'affaire, cette fois, paraît réglée. Mais Gaia, unie à Tartare, enfante un dernier rejeton, Typhée ou Typhon, monstre aux bras puissants, aux pieds infatigables, avec cent têtes de serpent dont les yeux jettent des lueurs de flamme. Ce monstre, que sa voix bariolée assimile tantôt aux dieux, tantôt aux bêtes sauvages, tantôt aux forces de la nature, incarne la puissance élémentaire du désordre. Dernier enfant de Gaia, il représente, dans le monde organisé, le retour au chaos primordial où toute chose se trouverait ramenée s'il triomphait. La victoire du monstre chaotique n'aura pas lieu. Ses yeux de flammes multipliées ne peuvent rien contre le regard vigilant de Zeus, qui ne se laisse pas surprendre, l'aperçoit à temps, le foudroie. L'Olympien jette Typhon au Tartare : de sa dépouille sortent les vents de tempête, fougueux, imprévisibles, qui, contrairement aux souffles réguliers qu'ont enfantés Aurore et Astraios, s'abattent en bourrasques, d'un côté et de l'autre, livrant l'espace humain à l'arbitraire d'un pur désordre.

Chez Hésiode, la défaite de Typhon marque le terme des luttes pour la souveraineté. Les Olympiens pressent Zeus de prendre le pouvoir et le trône des Immortels. Le nouveau roi des dieux, le second souverain, répartit alors entre tous les honneurs et privilèges. Sa suprématie, qui fait suite à celle de Kronos renversé, ne la répète pas pour autant : elle la redresse. Zeus unit en effet en sa personne la plus haute puissance et le scrupuleux respect du juste droit ; sa souveraineté réconcilie la supériorité de force et l'exacte répartition des honneurs, la violence guerrière et la fidélité au contrat, la vigueur des membres et toutes les formes de l'astuce intelligente. L'ordre et le pouvoir, associés dans son règne, sont désormais inséparables.

Une autre tradition, dont on trouve l'écho en particulier chez le Pseudo-Apollodore, ajoutait un chapitre à l'histoire des batailles pour la royauté du ciel. Les Olympiens devaient encore affronter l'assaut des Géants, représentant un ordre : celui des combattants ; une classe d'âge : les jeunes dans la fleur de leur virilité ; une fonction : celle de la guerre. Le statut des Géants apparaît, au seuil de la bataille, équivoque. La défaite les livrera-t-elle à la mort ou le succès les fera-t-il accéder à l'immortalité divine ? Zeus a été averti que, pour en triompher, il a besoin de plus petit que lui : les Géants devront mourir de la main d'un mortel. Héraklès, qui n'a pas encore été déifié, fera l'affaire. Cependant, la Terre, mère des Géants, prépare une parade. Elle se met en quête d'une herbe d'immortalité qui préserverait ses fils. Là encore, la prévoyance de Zeus déjoue les plans de l'adversaire. Prenant par ruse les devants sur Terre, il cueille et coupe lui-même l'herbe de non-mort. Aucune force ne peut plus empêcher les Géants de périr et la fonction guerrière de se soumettre à une souveraineté qu'elle a le devoir d'appuyer sans jamais la combattre.

Le récit de la lutte contre Typhon a été lui-même enrichi pour dramatiser les périls de la souveraineté et souligner la place que tient la ruse dans son exercice. Chez le Pseudo-Apollodore, dans un premier combat, Typhon prend l'avantage sur son adversaire royal ; il le désarme, lui coupe les nerfs des bras et des jambes, le livre paralysé à la garde d'une femme serpent, Delphynè. Le salut viendra sous la forme de deux rusés compères, l'astucieux Hermès, assisté d'un complice, Égipan. Sans être vus, ils subtilisent les nerfs de Zeus et les lui remettent en place. Le combat reprend ; il serait resté indécis si une seconde tromperie machinée par les Moires n'avait eu raison des forces du monstre. Les filles de Zeus persuadent Typhon d'avaler une prétendue drogue d'invincibilité ; mais ce *pharmakon*, loin de lui apporter un surcroît d'énergie, est une nourriture « éphémère », dont on ne peut goûter sans connaître, comme les hommes, l'usure des forces, la fatigue et la mort.

Chez Nonnos, dans *Les Dionysiaques*, Typhon, candidat à la royauté du désordre, parvient à mettre la main sur la foudre et sur les nerfs de Zeus ; affolés, les dieux abandonnent le ciel. Zeus combine alors avec Éros le plan de ruse que l'ingénieux Kadmos doit réaliser, avec l'aide de Pan, pour berner la puissante brute. Kadmos endort sa violence au son de la flûte. Typhon, charmé, veut faire du jeune homme le chanteur officiel de son règne. Kadmos réclame, pour en munir sa lyre, les nerfs dérobés à Zeus. Profitant du sommeil où la musique a plongé le monstre, Zeus récupère, avec ses nerfs, son arme fulgurante. Quand Typhon se réveille, le tour est joué. Zeus enveloppe tout entier son ennemi dans le trait incandescent de sa foudre.

Ces développements tardifs du mythe ne sont pas gratuits. Avec une fantaisie un peu baroque, ils illustrent un thème qui occupait déjà chez Hésiode, avec le mariage de Zeus et de Mètis, une place centrale. Dans la *Théogonie*, aussitôt promu roi des dieux, Zeus convole en premier mariage avec Mètis, fille d'Océan, déesse « qui en sait plus que tout dieu ou homme mortel ». Cette union ne fait pas que reconnaître les services que lui a rendus l'intelligence rusée, dans son accession au trône. Elle illustre la nécessaire présence de Mètis au fondement d'une souveraineté qui ne peut, sans elle, ni se conquérir, ni s'exercer, ni se conserver. Tenant de leur mère le même type d'astuce retorse qui la caractérise, les fils de la déesse ne manqueraient pas d'être invincibles et de l'emporter sur leur père. Zeus se voit donc menacé, par le mariage qui le consacre roi des dieux, de connaître le même sort qu'il a réservé au souverain précédent : tomber sous les coups de son propre fils. Mais Zeus n'est pas souverain comme les autres. Kronos, avalant ses enfants, laissait subsister au-dehors de lui des Puissances de ruse supérieure à la sienne. Zeus va à la racine du danger. Il retourne contre Mètis les armes mêmes de la déesse : la ruse, la tromperie, la surprise. La bernant de mots caressants, il l'avale avant qu'elle n'accouche d'Athéna pour éviter

33

qu'après sa fille elle ne porte encore un fils qui eût été fatalement roi des hommes et des dieux. En épousant, maîtrisant, avalant Mètis, Zeus devient plus qu'un simple monarque : il se fait la Souveraineté elle-même. Averti par la déesse, au fond de ses entrailles, de tout ce qui lui doit advenir, Zeus n'est plus seulement un dieu rusé, comme Kronos, il est le *mêtieta*, le dieu tout Ruse. Rien ne peut plus le surprendre, tromper sa vigilance, contrecarrer ses desseins. Entre le projet et l'accomplissement, il ne connaît plus cette distance par où surgissent, dans la vie des autres dieux, les embûches de l'imprévu. La souveraineté cesse ainsi d'être l'enjeu d'une lutte toujours recommencée. Elle est devenue, dans la personne de Zeus, un état stable et permanent. L'ordre n'est pas seulement fondé par le pouvoir suprême qui répartit les honneurs. Il est définitivement établi.

Les puissances nocturnes de vengeance, de guerre, de fraude, répandues dans le monde divin par la faute de Kronos, n'y ont désormais plus leur place. S'il arrive que quelque querelle s'élève encore entre divinités, que l'une d'elles, fautive à son tour, se parjure d'un serment mensonger, elle est sur-le-champ, par la procédure quasi juridique que Zeus a instituée avec l'eau du Styx, expulsée du séjour des dieux, bannie de leur conseil et de leurs banquets, sevrée du nectar et de l'ambroisie. Sous le règne de Zeus, l'immédiat exil du dieu coupable d'avoir frayé, ne fût-ce qu'un moment, avec un des Enfants de Nuit, répond à la relégation des Titans, rejetés aux frontières du monde, aux confins de Béance, là où le cosmos s'ajuste à Chaos et s'assure solidement contre lui.

Jean-Pierre Vernant *

* Ces pages ont été écrites pour le *Dictionnaire des mythologies et des religions des sociétés traditionnelles et du monde antique* (Dir. Yves Bonnefoy, Flammarion, 1981).

Bibliographie

Les principaux textes ou fragments concernant les mythes cosmogoniques grecs sont rassemblés et discutés dans : Kirk, G.S., et Raven, J.E., *The Presocratic Philosophers*, Cambridge, 1960, au chapitre I : « The Forerunners of Philosophical Cosmogony », pp. 8-73. On trouvera un commentaire fourni de la *Théogonie* dans Hesiod, *Theogony*, edited with Prolegomena and Commentary, by M. L. West, Oxford, 1966. Les scholies à ce texte ont été publiées par Flach, H., *Glossen und Scholien zu Hesiodos Theogonie*, Leipzig, 1876. Sur les cosmogonies aquatiques : Rudhardt, J., *Le Thème de l'eau primordiale dans la mythologie grecque*, Berne, 1971. Sur la cosmogonie hésiodique : Cornford, F. M., *Principium Sapientiae. The Origins of Greek Philosophical Thought*, Oxford, 1952. Detienne, M., et Vernant, J.-P., *Les Ruses de l'intelligence. La Mètis des Grecs*, Paris, 1975. Fränkel, H., *Dichtung und Philosophie des frühen Griechentums*, New York, 1951, 2e éd., Munich, 1960 (édition anglaise sous le titre : *Early Greek Poetry and Philosophy*, Oxford, 1975). Gigon, O., *Der Ursprung der griechischen Philosophie von Hesiod bis Parmenides*, Bâle, 1945, 2e éd., 1968. Kirk, G. S., *The Nature of Greek Myths*, Penguin Books, 1974, spécialement ch. VI, pp. 113-144. Philippson, P., « Genealogie als mythische Form », in *Symb. Osl.*, Suppl. VII, 1936. Ramnoux, C., *La Nuit et les enfants de la Nuit*, Paris, 1959. Schwabl, H., *Hesiods Theogonie. Eine unitarische Analyse*, Vienne, 1966. Schwenn, Fr., *Die Theogonie des Hesiodos*, Heidelberg, 1934. Stokes, M. C., « Hesiodic and Milesian cosmogonies » I et II, *Phronesis*, VII, I, 1962, pp. 1-37 ; VIII, I, 1963, pp. 1-34. Vernant, J-P., *Mythe et pensée chez les Grecs*, Paris, 1965, 5e éd., 1974 (Petite collection Maspero, 2 vol.), t. 2, pp. 95 *sqq*. Ballabriga, A., *Le Soleil et le Tartare*, Éditions de l'École des hautes études en sciences sociales, Paris, 1986.

Pour lire Hésiode

par Annie Bonnafé

Quelque vingt-sept siècles nous séparent d'Hésiode et du poème où il chante et assure le *kléos*, la gloire, le renom à travers le temps de ses dieux, sur l'injonction des Muses de la montagne de Béotie où il gardait autrefois ses agneaux. En outre, à la différence de l'*Odyssée* et, surtout, de l'*Iliade*, plus lointaines encore pourtant, ses œuvres — la *Théogonie* ou *Naissance des dieux* et *Les Travaux et les Jours* — n'ont jamais connu dans l'Antiquité la très large diffusion des épopées homériques. Elles n'ont pas davantage bénéficié de cette remise à jour de leurs mythes, de ce toilettage de leurs thèmes et de leurs héros, ou suscité ces controverses qui nous permettent aujourd'hui, grâce à la médiation des grands dramaturges athéniens de l'époque classique et des philosophes ou des poètes ultérieurs, de nous sentir assez facilement, face à l'*Iliade*, par exemple, en terrain de connaissance.

En ouvrant aujourd'hui la *Théogonie*, le lecteur, même — et peut-être surtout — s'il pense avoir quelque familiarité avec la poésie, les mythes et les dieux grecs, pénètre dans un monde dont la sensibilité et les modes de penser lui sont en fait radicalement étrangers. Entre son esprit et celui dans lequel Hésiode composait son poème ou celui dans lequel le public initial d'Hésiode l'écoutait, ce ne sont pas seulement sa propre vision du monde et l'idée qu'il se fait lui-même de la poésie qui font écran, ce sont aussi celles d'Eschyle, de Sophocle, d'Euripide, celles de Platon et d'Aristote également, et celles des compilateurs de mythes de l'époque romaine. Puisque nous ne pouvons plus partager la foi d'Hésiode, il faudrait pouvoir lire la *Théogonie* avec au moins la naïveté d'un enfant écoutant un beau conte — un conte plein de bruit et de fureur, mais traversé aussi d'aspiration à l'harmonie et à l'ordre.

Car la première source d'incompréhension irrémédiable

serait sans doute de la lire comme nous lisons la *Bibliothèque* d'Apollodore [1] ou même les premiers livres de la *Bibliothèque historique* de Diodore de Sicile [2]. Hésiode, lui, croit à ce qu'il raconte. Les dieux qu'il chante sont ses dieux. Et il les chante, il compose un hymne à leur gloire, en reprenant dans son poème d'anciennes traditions qui lui paraissent aller dans le sens de ces vérités que lui ont soufflées les Muses, en les rectifiant là où il lui semble qu'elles en dévient, en les combinant, à l'occasion, ou, souvent, en les complétant, en les vivifiant de certitudes et de visions nouvelles. Nous n'avons affaire ici ni à un érudit amateur de curiosités, ni à un rationaliste cherchant à déceler quelque vérité sensée, éparse dans l'incohérence des mythes de l'enfance des hommes. Sa foi polythéiste est fervente, même si ou parce qu'elle est sous-tendue par sa foi en Zeus et culmine en elle. Ce que nous appelons mythe, pour lui comme pour son public, est l'unique réalité. Le mythe est sa manière de penser le monde et ce qui, pour lui et — il en est convaincu — par lui, donne cohérence au monde.

C'est dans cette conviction que résident sa force et son originalité. C'est en elle aussi que, si nous voulons bien lui faire crédit, si nous nous défendons de voir, dans les divinités qu'il nomme, dont il confirme l'existence ou à qui il l'assure en les nommant, autre chose que des êtres divins dont pour lui l'existence est une certitude, et non de simples allégories, nous pouvons, au-delà de

---

1. *Bibliothèque* d'Apollodore, traduite, annotée et commentée par J.-Cl. Carrière et B. Massonie, *Annales littéraires de l'université de Besançon*, n° 443, Paris, Belles Lettres, 1991.
2. Diodore de Sicile, *Naissance des dieux et des hommes* (*Bibliothèque historique*, livres I et II). Introduction, traduction et notes par M. Casevitz, préface de P. Vidal-Naquet, Paris, Belles Lettres (La Roue à livres), 1991. C'est P. Vidal-Naquet qui écrit (p. XXVI) : « Diodore est un Grec qui s'efforce de rendre compte à la fois d'un lointain passé, un passé tissé de récits auxquels il ne croit pas, où interviennent des dieux qui ne sont pas les siens et qui ne sont probablement que des hommes, ... et d'une diversité culturelle qui est encore évidente. »

l'impression première d'étrangeté, retrouver dans son poème une ambition qui est toujours la nôtre : le désir de superposer, à l'univers qui nous entoure, la grille de notre logique, afin de tenter de le comprendre et de le faire nôtre, de savoir comment nous y insérer, comment y vivre.

Son aspiration est identique. Sa logique est tout autre. A ses yeux, ce que nous considérons comme tel ou tel élément matériel du paysage, la terre sur laquelle il marchait et où nous marchons, par exemple, est à la fois ce qu'elle nous paraît être — le sol et la nuit de ses profondeurs — et une entité divine, porteuse de vie et toute-puissante, énorme et monstrueuse ou, au moins, prodigieuse *(pèlôrè)* par ses dimensions et ses pouvoirs, mais nécessairement dotée de vie, puisqu'elle la donne, et d'une vie animée de volonté, de sentiments. Elle n'est pas le domaine de la déesse Terre, elle *est* cette déesse. L'imagination et la Muse aidant, on peut donc se représenter ce qu'elle veut et ce qu'elle ressent, le rôle qu'elle joue ou a pu jouer et, de ce fait, ses agissements — même si l'on ne peut lui prêter en esprit une autre apparence que la sienne. Le ciel et le flot marin qui la prolongent à l'horizon semblent, précisément, la prolonger, faire partie d'elle, comme les montagnes. Ils procèdent d'elle. Ils sont donc ses enfants, aussi matériels et aussi divins qu'elle. L'un paraît couché à ses côtés, l'autre au-dessus d'elle. Ils sont donc ses époux. L'eau douce, le Fleuve-Océan, Océanos, est nécessairement, sous forme de pluie qui va de l'un à l'autre, le premier résultat tangible, la première manifestation concrète de son union avec le Ciel — mais aussi ce fleuve circulaire dont parlait Homère et qui marque leurs confins à tous deux, à l'horizon, un horizon toujours inaccessible et au-delà duquel on ne peut qu'entrer, si l'on y parvient, dans un monde autre. L'expérience personnelle et concrète de l'univers qui est celle d'Hésiode s'ordonne presque d'elle-même en exposé raisonné. Pour lui, la naissance du monde et celle des dieux, la cosmogonie et la théogonie, nécessairement, vont de pair : elles ne font qu'un.

Elles ont eu lieu « aux tout premiers temps », puisque la raison humaine ne parvient pas à se représenter les choses sans leur imaginer un commencement ; mais on peut dire aussi qu'elles ont toujours lieu au moment même où il y songe. L'exposé généalogique qui tient, dans le poème, la place principale est beaucoup moins l'exposé d'une chronologie ou d'une évolution qu'un effort de mise en place de l'univers[1] : un procédé d'exposition, précisément, qui vise à rendre l'univers compréhensible, qui va donc, dans un souci de clarté et de logique, de l'essentiel, du fondamental, à ce qui l'est moins, et qui met en évidence, sous forme de liens de parenté et d'alliance — filiations et unions amoureuses notamment —, les affinités et les complémentarités qui assurent, aux yeux d'Hésiode, la cohésion de toutes choses.

Les enfants d'une divinité ou d'un couple divin manifestent concrètement dans le monde la nature et les pouvoirs de leur(s) parent(s)[2]. L'eau douce, pour Hésiode, semble incarnée dans les personnes divines d'Océanos le Fleuve-Océan et de sa contre-partie féminine, Tèthys. Pour savoir ce qu'elle est vraiment à ses yeux, il nous faut réfléchir sur ce qu'il considère comme leur origine, mais voir aussi qu'ils sont eux-mêmes à l'origine des fleuves, c'est-à-dire qu'ils se diffusent dans l'univers sensible, qu'ils y sont perceptibles, sous la forme des fleuves existants. Mais nous en saurons plus long sur ce que l'eau représente pour lui si nous acceptons l'idée qu'Océanos et Tèthys se manifestent aussi dans le monde par l'intermédiaire et sous l'aspect de leurs filles à forme humaine, les innombrables

---

1. Sur cette lecture de *La Naissance des dieux*, voir A. Bonnafé, *Poésie, Nature et Sacré, I* (Collection de la Maison de l'Orient méditerranéen, n° 15, série litt. et philos. 3), Lyon, 1984, pp. 177-223.

2. *Cf.* P. Philippson : *Genealogie als mythische Form*, Oslo, 1936.

Océanines ou Océanides dont le poème limite le catalogue à cinquante noms.

La plupart de ceux-ci sont en quelque sorte des noms parlants, dont on peut saisir ou entrevoir le sens ou les résonances possibles pour l'auditoire d'Hésiode. Insérer le nom d'une divinité déjà connue dans ce catalogue, c'est, pour lui, rattacher à Océanos, à son idée de l'eau douce, ce que cette déesse représente en elle-même pour lui et pour son public. Inventer un nom d'Océanide, c'est énoncer ou dénoncer une manifestation de l'être de l'eau douce à laquelle on n'avait peut-être pas songé avant lui, mais qui se révèle soudain à lui comme une évidence : l'existence des trembles, par exemple, ou celle de la richesse, mais aussi celle de la persuasion ou de l'intelligence rusée, de l'Idée par excellence, Mètis. Elles aussi ont, pour lui, des affinités avec l'eau, une existence et (puisque l'homme ne les maîtrise pas davantage) une essence divine aussi réelles que celles de l'eau. Et, de manière analogue, mais dans un autre ordre d'idées, dire que Zeus a fait de l'Idée, de Mètis, sa première épouse — et même qu'il « l'a mise en sûreté au fond de ses entrailles » —, c'est dire qu'elle et lui sont indissociables, qu'il est bien le *mètioeis* ou le *mètièta*, le « maître de l'Idée ».

Qu'ils soient catalogues de naissances ou catalogues de mariages [1], les catalogues d'Hésiode sont donc toujours chargés de sens, même si, du fait que son poème a été composé pour être entendu et non pour être lu [2], la valeur

---

1. Pour cet aspect des catalogues et pour ce qui concerne le thème de la bonne entente, amoureuse ou non, *philotès*, voir A. Bonnafé, *Éros et Éris. Mariages divins et mythe de succession dans la Théogonie d'Hésiode*, Presses universitaires de Lyon, 1985.

2. On s'accorde généralement à penser qu'Hésiode a composé ses poèmes au début du VIIe siècle avant J.-C., c'est-à-dire au moment où les Grecs retrouvent l'écriture. Mais, outre que ce fait n'implique pas nécessairement qu'il ait composé ses poèmes par écrit, Hésiode n'en a pas moins pour modèles immédiats les épopées homériques qui, elles, relèvent de la poésie orale, et l'on sait par ailleurs que la transmission écrite des textes grecs, l'apparition du lecteur au sens moderne du terme, ne se

musicale des noms qu'il énumère joue parfois un rôle dans la manière dont ils se succèdent, les sonorités s'appelant l'une l'autre et s'associant au même titre que les idées. Ils ne sont donc jamais gratuits. Bien que, probablement, pour l'auditoire d'Hésiode comme pour celui des épopées homériques, le catalogue ait constitué un genre poétique apprécié pour lui-même, Hésiode, par rapport à l'*Iliade* ou aux poèmes homériques, innove : il fait du catalogue ou de l'exposé généalogique en tant que tels des instruments de sa pensée autant et plus que le moyen de prouver sa virtuosité et sa créativité.

Il est probable aussi qu'il joue de l'ordre de succession de ses exposés, leur proximité se chargeant elle-même de sens, et que, s'il évoque successivement, par exemple, la naissance des Muses et celle d'Apollon [1], c'est en fonction des liens qui — il le sait, le prélude du poème en témoigne — les unissent.

Il joue, en tout cas, en maître de l'ordre des mots, de leur place dans le vers et de leurs sonorités. Sur ce point encore, le jeu poétique, dans son poème, ne paraît pas gratuit et devient autre chose. Ainsi, le rapport musical entre deux mots de sens opposés *(mnèmosynè/lèsmosynè)* fait qu'ils s'appellent, en quelque sorte, l'un l'autre, par un effet de rime. Mais à la place qu'Hésiode leur assigne dans le prélude [2], ils renforcent, semble-t-il (à moins qu'ils ne l'aient aidée à naître ou clarifiée), sa certitude que, filles de Mnèmosynè, de Mémoire (procédant d'elle, puisque la poésie grecque et celle d'Hésiode ne se conçoivent jamais que solidement ancrées dans une tradition), les Muses sont pour les hommes « source d'oubli »,

---

généralisent qu'à partir de la fin du IVᵉ siècle. Jusque-là, même si la poésie participe de l'écrit, sa transmission demeure essentiellement « aurale » : elle s'entend, plus qu'elle ne se lit.
1. Naissance des Muses : 915-17 ; naissance d'Apollon : 918-20 ; liens entre les Muses et Apollon : 94-95.
2. 54-55.

lèsmosynè, et donc apportent par leurs chants une trêve à leurs misères en les sortant d'eux-mêmes.

Ici encore, procédé poétique et mode de penser sont indissociables. Pour Hésiode, les contraires ne s'opposent pas, ils ne s'excluent pas : ils sont étroitement complémentaires et l'un appelle, engendre l'autre, comme, de la nuit, sort la lumière du jour. Ce qui, chez tel autre poète, est jeu sur les mots ou, à nos yeux, simple figure de style, est chez lui plus qu'une figure de pensée et apparaît souvent comme la dynamique même de sa pensée, se confond avec elle. Je me suis bornée à donner un exemple de ce qu'on pourrait appeler l'illumination née de l'antithèse et du jeu de mots. Les effets de la répétition (considérée non comme une négligence, mais comme la volonté de souligner l'existence de similitudes de nature ou de situation) sont plus lents à se manifester. Mais ils possèdent une force de persuasion aussi grande et prennent, à la longue, une véritable valeur d'annonce [1] qui ne contribue pas peu à faire apparaître comme inévitables — donc impossibles à remettre en question — le terme et la conclusion vers lesquels le récit d'Hésiode, pas à pas, s'achemine.

Car c'est bien aussi un récit plein de rebondissements, et un récit orienté d'emblée vers une fin prédéterminée, que la *Théogonie*, même si elle se présente, en même temps, comme ce catalogue systématique de tous les êtres divins qui est description raisonnée et ordonnée du monde existant. Et même si la coexistence dans un poème de ces deux genres est périlleuse, elle est ici heureuse. Du simple point de vue poétique, le catalogue est incantatoire. Il peut faire réfléchir ou rêver, mais il est par définition à la fois statique et dépourvu de fin, indéfiniment prolongea-

---

1. Par exemple, tous les êtres qui possèdent la « puissance », la force qui permet de vaincre *(kratos)*, se révèlent par la suite des adversaires pour ainsi dire naturels de celui qui la détient, du roi des dieux. De même, tous ceux qui ont un domaine souterrain tendent à y retourner.

ble, s'il a bien, nécessairement, un commencement. Ce n'est donc pas lui qui pouvait fournir sa dynamique au poème et lui permettre de parvenir à une conclusion. Assure ce rôle le thème plus précis que les Muses suggèrent au poète dans leurs deuxième et troisième chants du prélude, en célébrant, dans leur père Zeus [1], celui « qui l'emporte sur tous les dieux », celui qui « règne au ciel... depuis que sa puissance a vaincu son père Cronos » : ce traitement nouveau que fait Hésiode de ce qu'on a coutume d'appeler le mythe de souveraineté ou de succession.

Sur ce point encore, Hésiode ancre son poème dans une longue tradition, mais innove. Il innove d'abord dès lors même qu'il associe comme il le fait les deux thèmes exposés dès le prélude : la louange de « l'ensemble de la race sacrée » — le catalogue — et le mythe de succession, l'idée de la lutte pour le pouvoir chez les dieux, source de récits dramatiques. Il les présente comme interdépendants, un catalogue amenant un récit et un nouveau catalogue découlant de ce récit, l'ordre de succession qui assure au poème sa variété apparaissant à l'auditoire comme un ordre logique de cause à effet. De ce fait, les catalogues de naissances divines semblent décrire des états successifs du monde découlant de la présence au pouvoir du dieu souverain et les catalogues d'unions divines apparaissent comme l'évocation de la manière dont ce dieu souverain assure son pouvoir — et l'ordre du monde — par l'instauration de la « bonne entente », qui vaut pacte, de la *philotès*. C'est aussi une manière de conférer plus d'intensité dramatique aux récits de conflits divins : leur issue en apparaît plus vitale.

En outre, si les exposés généalogiques sont l'expression du sentiment du sacré d'Hésiode et montrent bien ce qu'est le polythéisme — un réseau complexe de relations unissant une multitude de dieux et les définissant l'un par

---

1. 49 ; 73.

rapport à l'autre et l'un par l'autre —, son traitement simultané du second thème de son œuvre, du mythe de souveraineté ou de succession, trouve son originalité dans la ferveur de la foi qu'Hésiode met en Zeus.

Par nature, les mythes de succession et de souveraineté s'inscrivent dans un temps cyclique. Leur caractère est dramatique — on a vu qu'Hésiode l'accentue encore — et leur dynamique est celle de la répétition sans fin. Ailleurs que chez Hésiode, elle fait que le dieu souverain et maître des hauteurs est comme inévitablement menacé, puis renversé — supprimé ou au moins expulsé — et supplanté par un rival né des profondeurs. Ailleurs que chez Hésiode, toute victoire d'un dieu-roi maître des hauteurs apparaît donc comme temporaire. Dans le poème d'Hésiode au contraire, Zeus « règne au ciel » au commencement comme à la fin du chant insufflé au poète par les Muses : tout le mouvement de ce chant, à partir de l'exposé des « débuts », des *archaï* et des éléments premiers du monde, tend à rejoindre le temps du prélude et d'Hésiode, qui est celui de la souveraineté triomphante de Zeus [1]. Et parce qu'il voit en Zeus, comme ses Muses, le « père des dieux et des hommes » — ou, comme il l'expliquera dans *Les Travaux et les Jours*, le garant de la justice dans un monde par ailleurs si plein de misères pour les humains —, il met en œuvre toute une série de procédés pour que son poème, au mépris même de la logique du mythe de succession, fasse apparaître ce règne de Zeus comme définitif et non temporaire, comme bien assis. A la fin du poème, toute chose et tout être divin ont conservé, acquis ou retrouvé leur place naturelle, celle qui leur revient ; toute force a son rôle propre. Toutes ensemble ont trouvé leur équilibre, par l'usage bien compris de la bonne entente, des alliances, amoureuses ou non, du respect des promesses qui évite les querelles,

---

1. *Cf.* R. Hamilton, *The Architecture of Hesiodic Poetry*, Baltimore / Londres, 1989.

du serment qui contrebalance l'influence maléfique de l'esprit de lutte, Éris, et de ses autres enfants, inscrite pourtant au cœur du monde. Toute menace possible contre Zeus a été présentée comme ayant précédé l'établissement de son règne, et donc comme effacée à tout jamais par celui-ci.

Ce n'est pas là, on le voit, l'œuvre d'un philosophe. Rien d'abstrait ici, rien qui ne parte de l'expérience concrète du réel et qui ne soit, dans sa démarche comme dans son aboutissement, commandé par cette expérience. La mort, la vieillesse, les batailles, les querelles, la famine constituent la trame même du monde d'Hésiode, au même titre aussi que la force de persuasion, l'idée astucieuse ou la bonne entente. C'est bien, en revanche, en même temps que celle d'un homme soutenu par une foi sincère, l'œuvre d'un habile conteur et celle d'un grand poète, pour qui poésie et pensée, mythe et vérité, ne font qu'un.

A propos de la traduction

Bien que je me sois efforcée de conserver à la *Théogonie* sa diversité de ton et le mouvement des vers et des phrases, parfois même l'ordre des mots quand il s'accompagne d'un effet, on jugera sans doute que les vertus poétiques d'Hésiode, et notamment le souffle qui anime son poème, ne sont pas toujours présents dans la traduction qui en est ici proposée — et on aura raison. La chose ne tient pas seulement à tout ce qui nous sépare d'Hésiode. Elle relève aussi d'un parti pris. Si, comme le note Charles Juliet dans son *Journal*, « la phrase doit toujours être l'humble serviteur de ce qu'elle exprime, ne jamais céder au souci de la séduction »[1], il en va de même, et à un plus haut degré encore, me semble-t-il, de la traduction.

---

1. Charles Juliet, *Journal, I*, Paris, Hachette, 1989 (1re éd. 1978), p. 69.

Ungaretti donnant une version française de ses propres poèmes ne parvient qu'à en composer d'autres, dans une nouvelle langue, sur les mêmes thèmes [1]. Face au poème d'autrui, la traduction — qui, j'en conviens, pour se mettre véritablement à son service, devrait, elle aussi, être inspirée et belle — se doit d'abord d'être humble. Faute de pouvoir en rendre toujours avec bonheur les beautés propres, elle doit tâcher avec scrupule de donner, autant que faire se peut, une idée de son exacte teneur, quitte à renoncer, pour cela, à plaire par elle-même. Cela m'a paru d'autant plus indispensable face à la *Théogonie* que la pensée ou la vision s'y délaient rarement, on l'a vu, dans une suite un peu gratuite de vocables ; Hésiode ne vise pas à plaire, mais à instruire ; il pèse ses mots. Or l'accès direct au texte grec, à la lettre même du poème, n'est possible qu'à un nombre de lecteurs qui tend à se réduire, alors que la fascination pour les dieux, les mythes et les concepts grecs demeure et que, pour les étudier valablement, un passage préliminaire par la *Théogonie* s'impose.

Autant que le mouvement des vers et des phrases, j'ai donc conservé systématiquement toutes les répétitions du poème — reprises de vers entiers, de formules ou simplement de mots —, bien qu'elles ne correspondent nullement à nos usages.

Par ailleurs, en ce qui concerne les noms de divinités, quand il s'agit de « noms parlants », j'ai adopté le parti d'offrir en italique, dans la traduction, à côté du nom grec à sa première apparition, une approximation française suscitant une association d'idées du même ordre, et de conserver en général par la suite le seul équivalent français.

---

1. *Cf.* la « poésie mise en français » de *La Guerre* (1919), G. Ungaretti, *Vita d'un uomo. Tutte le poesie*, a cura di L. Piccioni, Milan Mundadori, ed. 1969, pp.332-49, et les poèmes originaux correspondants de *L'Allegria* et de *Poesie disperse, ibid.*, pp. 80 *sqq.*, 376 *sqq.*

P. Mazon [1] me montrait le chemin sur ce point pour tout ce qui concernait la Terre, le Ciel et la plupart des enfants de la Nuit. J'ai étendu le procédé à l'ensemble des catalogues. Un index en fin de volume regroupe les deux types de noms, grecs et français. Comme il est parfois malaisé de distinguer dans le poème si Hésiode considère ou non comme une *personne* divine ce dont il parle au moment où il le nomme — qu'il s'agisse de la terre, du ciel, de la nuit ou de la lutte, de la bonne entente et du serment —, on trouvera également répertoriées dans l'index les occurrences dans lesquelles ces termes et d'autres de même espèce paraissent employés comme des noms communs plutôt que comme des noms propres.

Ce trait particulier du poème coïncidant avec la reprise de termes systématique et significative et avec les partis adoptés ici m'a parfois amenée à renoncer à certaines traductions plus traditionnelles qui, considérées en elles-mêmes, seraient pourtant plus appropriées. Il fallait en effet trouver à chaque nom parlant de divinité un équivalent qui rendît compte de son genre, de sa qualité de dieu ou de déesse : on ne pouvait traduire le nom du fils de la Terre Pontos par un nom féminin comme *La Mer*. Il fallait aussi éviter toute ambiguïté quand ce nom est passé ensuite dans notre langue avec un sens différent de celui qu'il avait sans doute pour Hésiode : traduire Océanos par Océan amènerait inévitablement le lecteur actuel à voir en lui un archétype des eaux salées, alors que, à la différence de Pontos, il est ici, on l'a vu, uniquement celui des eaux douces. J'ai donc opté pour des traductions longues, choisissant pour le premier l'équivalent français de *Flot-Marin*, pour le second celui de *Fleuve-Océan*. Mais j'ai dû ensuite conserver ces mêmes expressions dans l'ensemble du poème.

Pour ces approximations françaises des noms de divini-

---

1. P. Mazon, *Hésiode, Théogonie. Les Travaux et les Jours. Le Bouclier*. Paris, Belles Lettres, 1928.

tés, je me suis fondée essentiellement — comme, d'ailleurs, pour l'ensemble de la traduction— sur P. Chantraine, *Dictionnaire étymologique de la langue grecque*, Paris, Klincksieck, 1968-1980 (référence Chantraine, ou Ch.). Pour le catalogue des Néréides et certains autres passages, j'ai également bénéficié des conseils de M. Casevitz. Qu'il soit ici remercié, ainsi que J. Pouilloux qui a eu la bienveillance et la patience de lire et de discuter vers après vers ma traduction.

Le texte traduit et reproduit ici est (à deux lettres près, au v. 257) celui de l'édition commentée de M.L. West, *Hesiod : Theogony*, Oxford, Clarendon Press, 1978 (1re éd. 1966), que j'ai également utilisée parfois dans les notes (référence West, ou W.). Je n'ai cependant pas suivi M.L. West dans toutes ses atéthèses, marquées dans le texte grec par des crochets droits, c'est-à-dire pour tous les passages dont il considère l'authenticité comme douteuse. On en retrouvera donc, signalées de la même façon, un moins grand nombre dans la traduction que dans le texte. De même, le texte tel qu'il l'a édité fait usage d'une ponctuation qui dépend du sens du texte, mais aussi des usages anglais en matière d'édition de textes grecs ; celle de la traduction suit, parenthèses comprises, l'usage français en fonction du sens du texte et diffère donc parfois, dans le détail, de la ponctuation du texte grec repris de l'édition de West.

Bibliographie

C'est à l'édition de West que le lecteur devra se reporter, s'il désire par la suite s'intéresser de plus près à *La Naissance des dieux*. Il y trouvera en langue anglaise, outre un commentaire vers à vers du poème et des études de sa langue, de son style et de son mètre, un exposé très complet sur la poésie théogonique et une bibliographie recensant toutes les éditions et la plupart des principales études savantes fondamentales de ce poème jusqu'en 1966.

Pour les années ultérieures, il se reportera utilement aux divers ouvrages cités en notes ainsi qu'aux suivants :

Athanassakis A.N., *Hesiod*, Baltimore, 1983.

Blusch J., *Former und Inhalt von Hesiods individuellen Denken*, Bonn, 1970.

Brown N.O., *Hesiod, Theogony*, Indianapolis, 1953.

Finazzo G., *La realtà del mondo nella visione cosmogonica Esiodea*, Rome, 1971.

Pucci P., *Hesiod and the Language of Poetry*, Londres, 1977.

Schwabl H., *Hesiods Theogonie. Eine unitarische Analyse*, Vienne, 1966.

THÉOGONIE
La naissance des dieux

Μουσάων Ἑλικωνιάδων ἀρχώμεθ᾽ ἀείδειν,
αἵ θ᾽ Ἑλικῶνος ἔχουσιν ὄρος μέγα τε ζάθεόν τε,
καί τε περὶ κρήνην ἰοειδέα πόσσ᾽ ἀπαλοῖσιν
ὀρχεῦνται καὶ βωμὸν ἐρισθενέος Κρονίωνος·
5   καί τε λοεσσάμεναι τέρενα χρόα Περμησσοῖο
ἢ᾽ Ἵππου κρήνης ἢ᾽ Ὀλμειοῦ ζαθέοιο
ἀκροτάτῳ Ἑλικῶνι χοροὺς ἐνεποιήσαντο,
καλοὺς ἱμερόεντας, ἐπερρώσαντο δὲ ποσσίν.
ἔνθεν ἀπορνύμεναι κεκαλυμμέναι ἠέρι πολλῷ
10   ἐννύχιαι στεῖχον περικαλλέα ὄσσαν ἱεῖσαι,
ὑμνεῦσαι Δία τ᾽ αἰγίοχον καὶ πότνιαν Ἥρην
Ἀργείην, χρυσέοισι πεδίλοις ἐμβεβαυῖαν,
κούρην τ᾽ αἰγιόχοιο Διὸς γλαυκῶπιν Ἀθήνην
Φοῖβόν τ᾽ Ἀπόλλωνα καὶ Ἄρτεμιν ἰοχέαιραν
15   ἠδὲ Ποσειδάωνα γαιήοχον ἐννοσίγαιον
καὶ Θέμιν αἰδοίην ἑλικοβλέφαρόν τ᾽ Ἀφροδίτην
Ἥβην τε χρυσοστέφανον καλήν τε Διώνην
Λητώ τ᾽ Ἰαπετόν τε ἰδὲ Κρόνον ἀγκυλομήτην
Ἠῶ τ᾽ Ἠέλιόν τε μέγαν λαμπράν τε Σελήνην
20   Γαῖάν τ᾽ Ὠκεανόν τε μέγαν καὶ Νύκτα μέλαιναν
ἄλλων τ᾽ ἀθανάτων ἱερὸν γένος αἰὲν ἐόντων.
     αἵ νύ ποθ᾽ Ἡσίοδον καλὴν ἐδίδαξαν ἀοιδήν,

Commençons, pour chanter, par les Muses
[Héliconiennes [1],   1
celles qui ont pour demeure la grande montagne divine de
[l'Hélicon.
Souvent, autour de la fontaine aux reflets de violette, de
[leurs pieds délicats,
elles entrent en danse — comme autour de l'autel du fils
[de Cronos plein de force ;
souvent aussi, leur peau tendre baignée au Permesse,   5
ou bien à la Fontaine du Cheval, ou à l'Olmée divin,
au plus haut de l'Hélicon, elles ont formé leurs rondes
— belles rondes de mon désir — et elles ont montré la
[vigueur de leurs pieds.
C'est de là qu'elles s'élançaient, enveloppées de brume
[épaisse,
pour cheminer dans la nuit, laissant s'élever leur voix si
[belle   10
en hymnes célébrant Zeus porte-égide et la souveraine Hèrè
d'Argos qui va sur ses sandales d'or
et la fille de Zeus porte-égide, Athènè aux yeux clairs,
et Phoïbos Apollon *le Lumineux* et Artémis l'Archère
ainsi que Poséidon — le Support de la terre, l'Ébranleur
[de la Terre —   15
Thémis *Juste-Coutume*, la vénérée, Aphrodite aux vives
[paupières,
Hèbè *la Jeunesse*, toute d'or couronnée, et la belle Dionè
— et Lètô et Japet, et puis Cronos aux idées retorses,
Èôs *l'Aurore*, ainsi qu'Hèlios le grand Soleil et la Lune
[brillante, Sélènè,
Gaia *la Terre*, le grand *Fleuve-Océan*, Océanos, et puis
[Nyx *la Nuit* noire   20
et la race sacrée de l'ensemble des immortels éternels.
Ce sont elles qui, jadis, à Hésiode enseignèrent un beau
[chant,

ἄρνας ποιμαίνονθ' Ἑλικῶνος ὕπο ζαθέοιο.
τόνδε δέ με πρώτιστα θεαὶ πρὸς μῦθον ἔειπον,
Μοῦσαι Ὀλυμπιάδες, κοῦραι Διὸς αἰγιόχοιο·
    "ποιμένες ἄγραυλοι, κάκ' ἐλέγχεα, γαστέρες οἶον,
ἴδμεν ψεύδεα πολλὰ λέγειν ἐτύμοισιν ὁμοῖα,
ἴδμεν δ' εὖτ' ἐθέλωμεν ἀληθέα γηρύσασθαι."
    ὣς ἔφασαν κοῦραι μεγάλου Διὸς ἀρτιέπειαι,
καί μοι σκῆπτρον ἔδον δάφνης ἐριθηλέος ὄζον
δρέψασαι, θηητόν· ἐνέπνευσαν δέ μοι αὐδὴν
θέσπιν, ἵνα κλείοιμι τά τ' ἐσσόμενα πρό τ' ἐόντα,
καί μ' ἐκέλονθ' ὑμνεῖν μακάρων γένος αἰὲν ἐόντων,
σφᾶς δ' αὐτὰς πρῶτόν τε καὶ ὕστατον αἰὲν ἀείδειν.
    ἀλλὰ τίη μοι ταῦτα περὶ δρῦν ἢ περὶ πέτρην;
τύνη, Μουσάων ἀρχώμεθα, ταὶ Διὶ πατρὶ
ὑμνεῦσαι τέρπουσι μέγαν νόον ἐντὸς Ὀλύμπου,
εἴρουσαι τά τ' ἐόντα τά τ' ἐσσόμενα πρό τ' ἐόντα,
φωνῇ ὁμηρεῦσαι, τῶν δ' ἀκάματος ῥέει αὐδὴ
ἐκ στομάτων ἡδεῖα· γελᾷ δέ τε δώματα πατρὸς
Ζηνὸς ἐριγδούποιο θεᾶν ὀπὶ λειριοέσσῃ

quand il était berger d'agneaux, au pied de l'Hélicon divin.
Et voici le langage qu'aux tout premiers moments les
[déesses me tinrent,
les Muses Olympiennes, filles de Zeus porte-égide :   25
    « Bergers couche-dehors, viles hontes vivantes, qui n'êtes
[rien que panse,
si nous savons dire bien des mensonges qui ont tout l'air
[d'être réalités [2],
nous savons, quand nous le voulons, faire entendre des
[vérités ! »
    Ainsi parlèrent les filles du grand Zeus dont les mots
[tombent juste ;
et pour bâton, pour sceptre [3], elles me donnèrent un rameau
[de laurier florissant   30
qu'elles avaient cueilli, un rameau admirable, puis elles
[soufflèrent en moi la parole
inspirée, pour que je glorifie ce qui sera comme ce qui
[était,
m'invitant à célébrer de mes hymnes la race des bienheureux
[éternels
et à les chanter chaque fois elles-mêmes en premier comme
[en dernier lieu.
    Mais qu'ai-je donc ainsi à tourner autour du chêne et
[du rocher [4] ?   35
Allons, toi ! commençons par les Muses qui, pour faire
[plaisir à Zeus, leur père,
réjouissent de leurs hymnes son grand esprit dans l'enceinte
[de l'Olympe,
en disant ce qui est, ce qui sera comme ce qui était,
de leurs voix à l'unisson ; infatigable, la parole coule à
[flots
de leurs bouches, bien douce ; et elles rient, les demeures
[de leur père   40
Zeus au grand fracas, à la voix de lys des déesses,

σκιδναμένη, ἠχεῖ δὲ κάρη νιφόεντος Ὀλύμπου
δώματά τ᾽ ἀθανάτων· αἱ δ᾽ ἄμβροτον ὄσσαν ἱεῖσαι
θεῶν γένος αἰδοῖον πρῶτον κλείουσιν ἀοιδῇ
45 ἐξ ἀρχῆς, οὓς Γαῖα καὶ Οὐρανὸς εὐρὺς ἔτικτεν,
οἵ τ᾽ ἐκ τῶν ἐγένοντο, θεοὶ δωτῆρες ἐάων·
δεύτερον αὖτε Ζῆνα θεῶν πατέρ᾽ ἠδὲ καὶ ἀνδρῶν,
[ἀρχόμεναί θ᾽ ὑμνεῦσι θεαὶ † λήγουσαί τ᾽ ἀοιδῆς,]
ὅσσον φέρτατός ἐστι θεῶν κάρτει τε μέγιστος·
50 αὖτις δ᾽ ἀνθρώπων τε γένος κρατερῶν τε Γιγάντων
ὑμνεῦσαι τέρπουσι Διὸς νόον ἐντὸς Ὀλύμπου
Μοῦσαι Ὀλυμπιάδες, κοῦραι Διὸς αἰγιόχοιο.
τὰς ἐν Πιερίῃ Κρονίδῃ τέκε πατρὶ μιγεῖσα
Μνημοσύνη, γουνοῖσιν Ἐλευθῆρος μεδέουσα,
55 λησμοσύνην τε κακῶν ἄμπαυμά τε μερμηράων.
ἐννέα γάρ οἱ νύκτας ἐμίσγετο μητίετα Ζεύς
νόσφιν ἀπ᾽ ἀθανάτων ἱερὸν λέχος εἰσαναβαίνων·
ἀλλ᾽ ὅτε δή ῥ᾽ ἐνιαυτὸς ἔην, περὶ δ᾽ ἔτραπον ὧραι
μηνῶν φθινόντων, περὶ δ᾽ ἤματα πόλλ᾽ ἐτελέσθη,
60 ἡ δ᾽ ἔτεκ᾽ ἐννέα κούρας, ὁμόφρονας, ᾗσιν ἀοιδὴ

tandis qu'elle se répand ; elles retentissent, les cimes de
[l'Olympe neigeux
et les demeures des immortels ! Elles, laissant s'élever leur
[voix d'ambroisie,
c'est la race vénérée des dieux qu'en premier lieu elles
[glorifient de leur chant,
depuis le commencement : ceux que la Terre et le vaste
[Ciel enfantaient,   45
comme ceux qui, de ceux-là, naquirent — les dieux
[donneurs de bienfaits ;
en second lieu, elles passent à Zeus, père des dieux et des
[hommes,
[les déesses le célèbrent de leurs hymnes au début comme
[à la fin de leur chant]
disant combien il l'emporte sur tous les dieux et combien
[sa puissance fait qu'il est le plus grand.
Et c'est encore la race des humains[5] et des puissants
[Géants   50
qu'elles célèbrent de leurs hymnes, réjouissant ainsi l'esprit
[de Zeus dans l'enceinte de l'Olympe,
les Muses Olympiennes, filles de Zeus porte-égide.
    Celles-là, c'est en Piérie[6] que, de son union avec le fils
[de Cronos, leur père,
Mnèmosyne, *Mémoire*, maîtresse des coteaux d'Éleuthère,
[les enfanta,
source d'oubli des maux, trêve mise aux soucis.   55
Oui, pendant neuf nuits, Zeus maître de l'idée[7] s'en venait
[s'unir à elle,
à l'écart des immortels, et monter dans son lit sacré.
Alors, l'an révolu, lorsque les heures eurent bouclé leur
[ronde,
au déclin des mois, et lorsque bien des jours furent venus
[à terme,
elle enfanta neuf filles qui ont même pensée (le chant   60

μέμβλεται ἐν στήθεσσιν, ἀκηδέα θυμὸν ἐχούσαις,
    τυτθὸν ἀπ' ἀκροτάτης κορυφῆς νιφόεντος Ὀλύμπου
    ἔνθά σφιν λιπαροί τε χοροὶ καὶ δώματα καλά,
    πὰρ δ' αὐτῆς Χάριτές τε καὶ Ἵμερος οἰκί' ἔχουσιν
65 ἐν θαλίῃς· ἐρατὴν δὲ διὰ στόμα ὄσσαν ἱεῖσαι
    μέλπονται, πάντων τε νόμους καὶ ἤθεα κεδνὰ
    ἀθανάτων κλείουσιν, ἐπήρατον ὄσσαν ἱεῖσαι.
    αἳ τότ' ἴσαν πρὸς Ὄλυμπον, ἀγαλλόμεναι ὀπὶ καλῇ,
    ἀμβροσίῃ μολπῇ· περὶ δ' ἴαχε γαῖα μέλαινα
70 ὑμνεύσαις, ἐρατὸς δὲ ποδῶν ὕπο δοῦπος ὀρώρει
    νισομένων πατέρ' εἰς ὅν· ὁ δ' οὐρανῷ ἐμβασιλεύει,
    αὐτὸς ἔχων βροντὴν ἠδ' αἰθαλόεντα κεραυνόν,
    κάρτει νικήσας πατέρα Κρόνον· εὖ δὲ ἕκαστα
    ἀθανάτοις διέταξε νόμους καὶ ἐπέφραδε τιμάς.
75 ταῦτ' ἄρα Μοῦσαι ἄειδον Ὀλύμπια δώματ' ἔχουσαι,
    ἐννέα θυγατέρες μεγάλου Διὸς ἐκγεγαυῖαι,
    Κλειώ τ' Εὐτέρπη τε Θάλειά τε Μελπομένη τε
    Τερψιχόρη τ' Ἐρατώ τε Πολύμνιά τ' Οὐρανίη τε
    Καλλιόπη θ'· ἡ δὲ προφερεστάτη ἐστὶν ἁπασέων.

est leur seule préoccupation, dans leur poitrine ; leur cœur
[ne sait rien du chagrin).
C'était un peu à l'écart de la plus haute cime de l'Olympe
[neigeux.
C'est là que se tiennent leurs rondes brillantes et leurs
[belles demeures
— et près d'elles les Grâces et le Désir ont leur logis,
toujours en fêtes. Elle inspire l'amour en passant par leur
[bouche, leur voix qui s'élève,   65
quand elles chantent et dansent ; de tous les immortels —
[usages et nobles manières —
elles disent la gloire, quand s'élève leur voix qui inspire
[l'amour.
Sitôt nées, les voilà qui partaient vers l'Olympe, toutes
[fières de leur belle voix,
de leur chant d'ambroisie, mêlé de danse ; et à l'entour
[la noire terre criait,
à leurs hymnes ; il inspirait l'amour, le fracas montant de
[sous leurs pieds,   70
tandis qu'elles s'en retournaient chez leur père. « Lui, il
[règne au ciel,
seul maître du tonnerre et de la foudre brûlante,
depuis que sa puissance a vaincu son père Cronos ; bien
[comme il faut, sur chaque point,
il a, aux immortels, fixé les usages à suivre et indiqué
[aussi les honneurs revenant à chacun [8]. »
Voilà ce que chantaient les Muses qui ont demeures sur
[l'Olympe,   75
les neuf filles nées du grand Zeus,
Clio *Donneuse-de-Gloire*, Euterpe *Beau-Plaisir*, Thalie *des
Fêtes*, Melpomène *Qui-chante-et-danse*,
Terpsichore *Plaisir-des-Rondes*,Ératô *des Amours*, Polymnie *des Mille-Hymnes*, Ouranie *la Céleste*
et Calliope *Belle-Voix* : c'est elle qui l'emporte du plus
[loin, entre toutes,

ἣ γὰρ καὶ βασιλεῦσιν ἅμ᾽ αἰδοίοισιν ὀπηδεῖ.
ὅντινα τιμήσουσι Διὸς κοῦραι μεγάλοιο
γεινόμενόν τε ἴδωσι διοτρεφέων βασιλήων,
τῷ μὲν ἐπὶ γλώσσῃ γλυκερὴν χείουσιν ἐέρσην,
τοῦ δ᾽ ἔπε᾽ ἐκ στόματος ῥεῖ μείλιχα· οἱ δέ νυ λαοὶ

85 πάντες ἐς αὐτὸν ὁρῶσι διακρίνοντα θέμιστας
ἰθείῃσι δίκῃσιν· ὁ δ᾽ ἀσφαλέως ἀγορεύων
αἶψά τι καὶ μέγα νεῖκος ἐπισταμένως κατέπαυσε·
τοὔνεκα γὰρ βασιλῆες ἐχέφρονες, οὕνεκα λαοῖς
βλαπτομένοις ἀγορῆφι μετάτροπα ἔργα τελεῦσι

90 ῥηιδίως, μαλακοῖσι παραιφάμενοι ἐπέεσσιν·
ἐρχόμενον δ᾽ ἀν᾽ ἀγῶνα θεὸν ὣς ἱλάσκονται
αἰδοῖ μειλιχίῃ, μετὰ δὲ πρέπει ἀγρομένοισι.
τοίη Μουσάων ἱερὴ δόσις ἀνθρώποισιν.
ἐκ γάρ τοι Μουσέων καὶ ἑκηβόλου Ἀπόλλωνος

95 ἄνδρες ἀοιδοὶ ἔασιν ἐπὶ χθόνα καὶ κιθαρισταί,
ἐκ δὲ Διὸς βασιλῆες· ὁ δ᾽ ὄλβιος, ὅντινα Μοῦσαι

car aussi bien c'est elle qui se fait la compagne des rois
[respectés. 80
   Celui que tiennent en honneur les filles du grand Zeus,
sur qui, dès sa naissance, se pose leur regard, parmi les
[rois nourrissons de Zeus,
celui-là, elles lui versent sur la langue une rosée suave,
celui-là, les mots lui coulent de la bouche, propres à
[apaiser ; et ses gens
ont tous les yeux sur lui quand il tranche en
[matière d'arrêts coutumiers 85
par l'effet de sa droite justice ; celui-là, sans le moindre
[faux pas, quand il parle sur la place,
a vite fait de mettre un terme aux querelles, même grandes :
[il sait s'y prendre.
(Car s'il y a des rois, des rois pleins de sagesse, c'est bien
[afin que, pour leurs gens
à qui l'on cherche à nuire, en place publique, ils fassent à
[terme se retourner ces actes contre leurs auteurs,
et cela sans peine, en se gagnant les cœurs par des mots
[sans rudesse.) 90
Et quand il s'avance à travers la foule assemblée, c'est
[comme un dieu qu'on cherche à se le concilier,
par un respect bien propre à apaiser, et on le voit de loin
[dans les réunions publiques.
Tel est le don sacré que les Muses dispensent aux humains.

   Car c'est des Muses, oui, et d'Apollon dont les traits
[portent loin, que procède
l'existence sur terre d'hommes qui sont des chanteurs —
[des aèdes — et des joueurs de cithare, 95
s'il est vrai que de Zeus procèdent les rois. Et fortuné,
[celui que les Muses

61

φίλωνται· γλυκερή οἱ ἀπὸ στόματος ῥέει αὐδή.
εἰ γάρ τις καὶ πένθος ἔχων νεοκηδέι θυμῷ
ἄζηται κραδίην ἀκαχήμενος, αὐτὰρ ἀοιδὸς
100   Μουσάων θεράπων κλεῖα προτέρων ἀνθρώπων
ὑμνήσει μάκαράς τε θεοὺς οἳ Ὄλυμπον ἔχουσιν,
αἶψ' ὅ γε δυσφροσυνέων ἐπιλήθεται οὐδέ τι κηδέων
μέμνηται· ταχέως δὲ παρέτραπε δῶρα θεάων.

χαίρετε τέκνα Διός, δότε δ' ἱμερόεσσαν ἀοιδήν·
105   κλείετε δ' ἀθανάτων ἱερὸν γένος αἰὲν ἐόντων,
οἳ Γῆς ἐξεγένοντο καὶ Οὐρανοῦ ἀστερόεντος,
Νυκτός τε δνοφερῆς, οὕς θ' ἁλμυρὸς ἔτρεφε Πόντος.
εἴπατε δ' ὡς τὰ πρῶτα θεοὶ καὶ γαῖα γένοντο
καὶ ποταμοὶ καὶ πόντος ἀπείριτος οἴδματι θυίων
110   ἄστρά τε λαμπετόωντα καὶ οὐρανὸς εὐρὺς ὕπερθεν·
[οἵ τ' ἐκ τῶν ἐγένοντο, θεοὶ δωτῆρες ἐάων·]
ὥς τ' ἄφενος δάσσαντο καὶ ὡς τιμὰς διέλοντο,
ἠδὲ καὶ ὡς τὰ πρῶτα πολύπτυχον ἔσχον Ὄλυμπον.
ταῦτά μοι ἔσπετε Μοῦσαι Ὀλύμπια δώματ' ἔχουσαι

tiennent en amitié ! Suave, la parole qui coule à flots de
[sa bouche !
Car même si quelqu'un a un sujet de deuil, dans son être
[novice aux chagrins,
et se sèche le cœur à force d'affliction, qu'un chanteur,
[qu'un aède
servant des Muses prenne les actions glorieuses des humains
[d'autrefois 100
pour thème de ses hymnes, ou les dieux bienheureux
[possesseurs de l'Olympe,
et aussitôt ses pensées douloureuses s'en vont : il les
[oublie ; ses chagrins,
il n'en garde même pas mémoire. Ils ont tôt fait de l'en
[détourner, les dons des déesses !
    Salut à vous, enfants de Zeus ! Mais donnez-moi le
[chant de mon désir
et glorifiez la race sacrée des immortels éternels,   105
ceux qui naquirent de la Terre et du Ciel étoilé
comme de la Nuit ténébreuse et ceux que nourrissait le
[Flot-Marin salé.
Dites comment, aux premiers temps, les dieux et la terre
[naquirent,
ainsi que les fleuves et le flot marin infini qui se gonfle et
[fait rage,
les étoiles resplendissantes et le vaste ciel tout en
[haut, 110
comme ceux qui, de ceux-là, naquirent — les dieux
[donneurs de bienfaits [9] :
comment ils se partagèrent la richesse du monde, comment
[ils se répartirent les honneurs revenant à chacun,
comment aussi, aux premiers temps, ils furent maîtres de
[l'Olympe aux mille replis.
Contez-moi cela, ô Muses qui avez demeures sur l'Olympe,

115 ἐξ ἀρχῆς, καὶ εἴπαθ᾽, ὅτι πρῶτον γένετ᾽ αὐτῶν.
ἤτοι μὲν πρώτιστα Χάος γένετ᾽· αὐτὰρ ἔπειτα
Γαῖ᾽ εὐρύστερνος, πάντων ἕδος ἀσφαλὲς αἰεὶ
ἀθανάτων οἳ ἔχουσι κάρη νιφόεντος Ὀλύμπου,
Τάρταρά τ᾽ ἠερόεντα μυχῷ χθονὸς εὐρυοδείης,
120 ἠδ᾽ Ἔρος, ὃς κάλλιστος ἐν ἀθανάτοισι θεοῖσι,
λυσιμελής, πάντων τε θεῶν πάντων τ᾽ ἀνθρώπων
δάμναται ἐν στήθεσσι νόον καὶ ἐπίφρονα βουλήν.
      ἐκ Χάεος δ᾽ Ἔρεβός τε μέλαινά τε Νὺξ ἐγένοντο·
Νυκτὸς δ᾽ αὖτ᾽ Αἰθήρ τε καὶ Ἡμέρη ἐξεγένοντο,
125 οὓς τέκε κυσαμένη Ἐρέβει φιλότητι μιγεῖσα.
Γαῖα δέ τοι πρῶτον μὲν ἐγείνατο ἶσον ἑωυτῇ
Οὐρανὸν ἀστερόενθ᾽, ἵνα μιν περὶ πάντα καλύπτοι,
ὄφρ᾽ εἴη μακάρεσσι θεοῖς ἕδος ἀσφαλὲς αἰεί,
γείνατο δ᾽ οὔρεα μακρά, θεᾶν χαρίεντας ἐναύλους
130 Νυμφέων, αἳ ναίουσιν ἀν᾽ οὔρεα βησσήεντα,
ἠδὲ καὶ ἀτρύγετον πέλαγος τέκεν οἴδματι θυῖον,
Πόντον, ἄτερ φιλότητος ἐφιμέρου· αὐτὰρ ἔπειτα

depuis le commencement, et dites ce qui, parmi eux,
[naquit en premier lieu. 115

En vérité, aux tout premiers temps, naquit Chaos,
[l'*Abîme-Béant*, et ensuite
Gaia *la Terre* aux larges flancs — universel séjour à jamais
[stable
des immortels maîtres des cimes de l'Olympe neigeux —
les étendues brumeuses du Tartare, au fin fond du sol aux
[larges routes,
et Éros, celui qui est le plus beau d'entre les dieux
[immortels 120
(il est *l'Amour* qui rompt les membres) et qui, de tous les
[dieux et de tous les humains,
dompte, au fond des poitrines, l'esprit et le sage vouloir.
De l'Abîme-Béant, ce furent Érèbe *l'Obscur* et Nyx *la
[Nuit* noire qui naquirent
et, de la Nuit, à leur tour, *Clair-Éclat* et *Journée*, Éther [10]
[et Hèmérè,
qu'elle enfanta, devenue grosse de son union de bonne
[entente [11] avec l'Érèbe *Obscur*. 125
Quant à la Terre, en premier lieu, elle fit naître, égal à
[elle-même,
(il fallait qu'il pût la cacher, l'envelopper entièrement)
[Ouranos le *Ciel* étoilé,
afin qu'il fût, pour les dieux bienheureux, séjour à jamais
[stable ;
puis elle fit naître Ouréa les hauts *Monts*, gîtes gracieux
[de déesses
— des Nymphes [12] qui habitent les monts coupés de
[ravins — 130
et elle enfanta aussi l'étendue stérile du large qui se gonfle
[et fait rage,
Pontos *le Flot-Marin* — tout cela sans bonne entente
[source de désir. Mais ensuite,

65

Οὐρανῷ εὐνηθεῖσα τέκ' Ὠκεανὸν βαθυδίνην
Κοῖόν τε Κρεῖόν θ' Ὑπερίονά τ' Ἰαπετόν τε
135 Θείαν τε Ῥείαν τε Θέμιν τε Μνημοσύνην τε
Φοίβην τε χρυσοστέφανον Τηθύν τ' ἐρατεινήν.
τοὺς δὲ μέθ' ὁπλότατος γένετο Κρόνος ἀγκυλομήτης,
δεινότατος παίδων, θαλερὸν δ' ἤχθηρε τοκῆα.
γείνατο δ' αὖ Κύκλωπας ὑπέρβιον ἦτορ ἔχοντας,
140 Βρόντην τε Στερόπην τε καὶ Ἄργην ὀβριμόθυμον,
οἳ Ζηνὶ βροντήν τ' ἔδοσαν τεῦξάν τε κεραυνόν.
οἳ δ' ἤτοι τὰ μὲν ἄλλα θεοῖς ἐναλίγκιοι ἦσαν,
μοῦνος δ' ὀφθαλμὸς μέσσῳ ἐνέκειτο μετώπῳ·
Κύκλωπες δ' ὄνομ' ἦσαν ἐπώνυμον, οὕνεκ' ἄρά σφεων
145 κυκλοτερὴς ὀφθαλμὸς ἔεις ἐνέκειτο μετώπῳ·
ἰσχὺς δ' ἠδὲ βίη καὶ μηχαναὶ ἦσαν ἐπ' ἔργοις.
ἄλλοι δ' αὖ Γαίης τε καὶ Οὐρανοῦ ἐξεγένοντο
τρεῖς παῖδες μεγάλοι ⟨τε⟩ καὶ ὄβριμοι, οὐκ ὀνομαστοί,
Κόττος τε Βριάρεώς τε Γύγης θ', ὑπερήφανα τέκνα.
150 τῶν ἑκατὸν μὲν χεῖρες ἀπ' ὤμων ἀίσσοντο,
ἄπλαστοι, κεφαλαὶ δὲ ἑκάστῳ πεντήκοντα
ἐξ ὤμων ἐπέφυκον ἐπὶ στιβαροῖσι μέλεσσιν·
ἰσχὺς δ' ἄπλητος κρατερὴ μεγάλῳ ἐπὶ εἴδει.
ὅσσοι γὰρ Γαίης τε καὶ Οὐρανοῦ ἐξεγένοντο,

au lit du Ciel, elle enfanta le *Fleuve-Océan*, Océanos aux
[profonds tourbillons,
Coïos, Crios, Hypérion *Qui-parcourt-les-hauteurs* et Japet,
Théia *la Divine*, Rhéia, Thémis *Juste-Coutume* et *Mémoire*
[(Mnèmosyne),   135
Phoïbè *la Lumineuse*, toute d'or couronnée, et Tèthys qui
[inspire l'amour.
Et après eux, bon cadet [13], naquit Cronos aux idées retorses,
le plus terrible des enfants — et il se prit de haine pour
[son géniteur vigoureux.
Elle donna encore naissance aux *Yeux-Ronds* — les
[Cyclopes au cœur plus que violent :
Brontès *Tonnant*, Stéropès *Vif-Éclair* et Argès *Blanche-*
[Foudre, à l'être plein de force,   140
qui donnèrent à Zeus le tonnerre et forgèrent pour lui la
[foudre.
Ceux-là, en vérité, étaient en tout pareils aux dieux [14],
n'était qu'un œil unique s'ouvrait au milieu de leur front.
Yeux-Ronds : tel était le nom qu'on leur donnait, nom
[parlant, puisque aussi bien
un œil tout rond, un seul, s'ouvrait sur leur front.   145
Vigueur, violence et inventions venaient couronner leurs
[œuvres.
D'autres encore naquirent de la Terre et du Ciel,
trois enfants grands et forts (mieux vaut ne pas les
[nommer),
Cottos, Briarée et Gygès, tous trois plus qu'arrogants ;
ceux-là avaient cent bras qui, de leurs épaules, jaillissaient   150
(mieux vaut ne pas les montrer [15]) et cinquante têtes chacun,
poussant de leurs épaules sur leurs membres solides.
Une vigueur inimaginable [16], puissante, venait couronner
[leur grande taille et leur aspect.
Il faut dire que tous ceux qui naquirent de la Terre et
[du Ciel

δεινότατοι παίδων, σφετέρῳ δ' ἤχθοντο τοκῆι
ἐξ ἀρχῆς· καὶ τῶν μὲν ὅπως τις πρῶτα γένοιτο,
πάντας ἀποκρύπτασκε καὶ ἐς φάος οὐκ ἀνίεσκε
Γαίης ἐν κευθμῶνι, κακῷ δ' ἐπετέρπετο ἔργῳ,
Οὐρανός· ἡ δ' ἐντὸς στοναχίζετο Γαῖα πελώρη
στεινομένη, δολίην δὲ κακὴν ἐπεφράσσατο τέχνην.
αἶψα δὲ ποιήσασα γένος πολιοῦ ἀδάμαντος
τεῦξε μέγα δρέπανον καὶ ἐπέφραδε παισὶ φίλοισιν·
εἶπε δὲ θαρσύνουσα, φίλον τετιημένη ἦτορ·
    "παῖδες ἐμοὶ καὶ πατρὸς ἀτασθάλου, αἴ κ' ἐθέλητε
πείθεσθαι· πατρός κε κακὴν τεισαίμεθα λώβην
ὑμετέρου· πρότερος γὰρ ἀεικέα μήσατο ἔργα."
    ὣς φάτο· τοὺς δ' ἄρα πάντας ἕλεν δέος, οὐδέ τις αὐτ
φθέγξατο. θαρσήσας δὲ μέγας Κρόνος ἀγκυλομήτης
αἶψ' αὖτις μύθοισι προσηύδα μητέρα κεδνήν·
    "μῆτερ, ἐγώ κεν τοῦτό γ' ὑποσχόμενος τελέσαιμι
ἔργον, ἐπεὶ πατρός γε δυσωνύμου οὐκ ἀλεγίζω
ἡμετέρου· πρότερος γὰρ ἀεικέα μήσατο ἔργα."

étaient les plus terribles des enfants et portaient le fardeau
[de la haine [17] de leur géniteur 155
depuis le commencement. Sitôt que l'un d'eux naissait,
tous autant qu'ils étaient, il les cachait, sans les laisser
[venir à la lumière,
au profond de la cachette de la Terre. Et en plus, il se
[réjouissait de son œuvre mauvaise,
le Ciel ! Mais elle, en dedans, elle gémissait, l'énorme
[Terre [18],
qui devenait trop étroite, oppressée — et rusé, mauvais,
[fut le savoir-faire dont elle eut la pensée. 160
Créant vite la race de l'Indomptable gris [19],
elle forgea une grande faucille et fit part de sa pensée à
[ses enfants.
Elle leur dit, cherchant à leur donner courage dans la
[tristesse de son cœur :
« Ô mes enfants — les miens, mais aussi ceux d'un père
[d'une présomption folle —, si vous le voulez bien,
laissez-vous persuader ; peut-être qu'à ce père nous pour-
[rions faire payer ces sévices mauvais, 165
bien qu'il soit votre père : c'est lui qui, le premier, a eu
[l'idée d'œuvrer en toute malséance. »
Ainsi parla-t-elle ; et les autres furent tous saisis de peur.
[Pas un d'entre eux
ne souffla mot. Enfin, prenant courage, le grand Cronos
[aux idées retorses
trouva soudain quel langage tenir en réplique à sa noble
[mère :
« Ô mère, pour ma part, peut-être que ce que tu dis —
[oui, je m'y engage — je pourrais l'accomplir, 170
cette œuvre-là. Car d'un père qui, oui, porte si mal ce
[nom, je ne me soucie pas,
bien qu'il soit notre père : c'est lui qui, le premier, a eu
[l'idée d'œuvrer en toute malséance. »

ὣς φάτο· γήθησεν δὲ μέγα φρεσὶ Γαῖα πελώρη·
εἷσε δέ μιν κρύψασα λόχῳ, ἐνέθηκε δὲ χερσὶν
175 ἅρπην καρχαρόδοντα, δόλον δ' ὑπεθήκατο πάντα.
ἦλθε δὲ νύκτ' ἐπάγων μέγας Οὐρανός, ἀμφὶ δὲ Γαίῃ
ἱμείρων φιλότητος ἐπέσχετο, καί ῥ' ἐτανύσθη
πάντῃ· ὁ δ' ἐκ λοχέοιο πάις ὠρέξατο χειρὶ
σκαιῇ, δεξιτερῇ δὲ πελώριον ἔλλαβεν ἅρπην,
180 μακρὴν καρχαρόδοντα, φίλου δ' ἀπὸ μήδεα πατρὸς
ἐσσυμένως ἤμησε, πάλιν δ' ἔρριψε φέρεσθαι
ἐξοπίσω. τὰ μὲν οὔ τι ἐτώσια ἔκφυγε χειρός·
ὅσσαι γὰρ ῥαθάμιγγες ἀπέσσυθεν αἱματόεσσαι,
πάσας δέξατο Γαῖα· περιπλομένων δ' ἐνιαυτῶν
185 γείνατ' Ἐρινῦς τε κρατερὰς μεγάλους τε Γίγαντας,
τεύχεσι λαμπομένους, δολίχ' ἔγχεα χερσὶν ἔχοντας,
Νύμφας θ' ἃς Μελίας καλέουσ' ἐπ' ἀπείρονα γαῖαν.
μήδεα δ' ὡς τὸ πρῶτον ἀποτμήξας ἀδάμαντι
κάββαλ' ἀπ' ἠπείροιο πολυκλύστῳ ἐνὶ πόντῳ,
190 ὣς φέρετ' ἂμ πέλαγος πουλὺν χρόνον, ἀμφὶ δὲ λευκὸς
ἀφρὸς ἀπ' ἀθανάτου χροὸς ὤρνυτο· τῷ δ' ἔνι κούρη

Ainsi parla-t-il, à la grande joie de l'énorme Terre.
Elle le posta — le cacha — en embuscade, elle lui mit en
[main
la serpe aux dents aiguës[20] et en tête, sournoisement, la
[ruse entière. 175
Il s'en vint, amenant la nuit, le grand Ciel ; autour de
[la Terre,
dans son désir de bonne entente, il se répandit et s'allongea
entièrement. Mais l'autre, de son embuscade — son fils
[— tendit la main,
la main gauche : de la droite, il saisit l'énorme serpe,
la grande serpe aux dents aiguës, et, du sexe de son propre
[père, 180
avec élan, il fit moisson, avant de le rejeter, d'un geste
[inverse, pour qu'il fût emporté au loin,
derrière lui. Certes, ce ne fut pas sans effet que la chose
[s'enfuit de sa main.
Car toutes les éclaboussures qui d'un élan jaillirent mêlées
[de sang,
la Terre les reçut : toutes. Et au long de la ronde des
[années,
elle donna naissance aux Érinyes puissantes, aux grands
[Géants, 185
resplendissants sous leur armure, de longues javelines en
[main,
et aux Nymphes qu'on appelle Méliennes, *Nymphes des
[Frênes*[21], sur la terre sans bornes.
Quant au sexe, sitôt qu'il l'eut tranché d'un coup du métal
[indomptable
et lancé, loin de la terre ferme, dans le flot marin qui
[baigne tant de choses,
il était emporté au large, et cela dura longtemps. A
[l'entour, une blanche 190
écume sourdait de la chair immortelle ; et en elle une fille

ἐθρέφθη· πρῶτον δὲ Κυθήροισι ζαθέοισιν
ἔπλητ’, ἔνθεν ἔπειτα περίρρυτον ἵκετο Κύπρον.
ἐκ δ’ ἔβη αἰδοίη καλὴ θεός, ἀμφὶ δὲ ποίη
195 ποσσὶν ὕπο ῥαδινοῖσιν ἀέξετο· τὴν δ’ Ἀφροδίτην
[ἀφρογενέα τε θεὰν καὶ ἐυστέφανον Κυθέρειαν]
κικλήσκουσι θεοί τε καὶ ἀνέρες, οὕνεκ’ ἐν ἀφρῷ
θρέφθη· ἀτὰρ Κυθέρειαν, ὅτι προσέκυρσε Κυθήροις·
Κυπρογενέα δ’, ὅτι γέντο περικλύστῳ ἐνὶ Κύπρῳ·
200 ἠδὲ φιλομμειδέα, ὅτι μηδέων ἐξεφαάνθη.
τῇ δ’ Ἔρος ὡμάρτησε καὶ Ἵμερος ἕσπετο καλὸς
γεινομένῃ τὰ πρῶτα θεῶν τ’ ἐς φῦλον ἰούσῃ·
ταύτην δ’ ἐξ ἀρχῆς τιμὴν ἔχει ἠδὲ λέλογχε
μοῖραν ἐν ἀνθρώποισι καὶ ἀθανάτοισι θεοῖσι,
205 παρθενίους τ’ ὀάρους μειδήματά τ’ ἐξαπάτας τε
τέρψίν τε γλυκερὴν φιλότητά τε μειλιχίην τε.

    τοὺς δὲ πατὴρ Τιτῆνας ἐπίκλησιν καλέεσκε
παῖδας νεικείων μέγας Οὐρανός, οὓς τέκεν αὐτός·
φάσκε δὲ τιταίνοντας ἀτασθαλίῃ μέγα ῥέξαι
210 ἔργον, τοῖο δ’ ἔπειτα τίσιν μετόπισθεν ἔσεσθαι.

prit corps. En premier lieu ce fut de la divine Cythère
qu'elle s'approcha ; de là, ensuite, elle parvint à Chypre
                              [au milieu des flots.
Puis elle sortit de l'eau, la belle déesse vénérée — et à
                              [l'entour l'herbe,
sous ses pieds vifs, grandissait. — Celle-là, c'est Aphrodite,   195
      [déesse née de l'*aphros*, de l'écume, et encore : Cythérée
                              [à la belle couronne.]
Voilà comment l'appellent dieux et hommes, parce que
                      [c'est dans l'écume, l'*aphros*,
qu'elle prit corps ; ou encore : Cythérée, parce qu'elle
                              [toucha à Cythère,
Cyprogénée, parce qu'elle naquit à Chypre baignée des
                              [flots,
et encore Philommèdée, *Amie du sexe*[22], parce que c'est
            [du sexe qu'elle sortit pour faire son apparition.   200
Elle eut Amour pour compagnon et le beau Désir à sa
                              [suite,
dès sa naissance, dès le premier moment où elle partait
                      [rejoindre la tribu des dieux.
Et voici ce que, depuis le commencement, elle possède
                  [comme honneurs qui lui reviennent,
la part qu'elle reçut du sort parmi les humains et parmi
                          [les dieux immortels :
tendres entretiens virginaux, sourires et duperies complètes,   205
plaisir suave, bonne entente et douceur apaisante.
    Quant aux autres, leur père leur donnait le surnom de
                              [Titans,
dans la querelle qui l'opposait, lui, le grand Ciel, aux
                  [enfants qu'il avait lui-même engendrés.
Il disait qu'à force de tendre et tendre à toujours plus
              [dans leur folle présomption, ils avaient accompli,
vraiment, une grande œuvre et que de cela, ensuite, ils
              [trouveraient derrière eux le prix à payer[23].   210

                              73

Νὺξ δ' ἔτεκε στυγερόν τε Μόρον καὶ Κῆρα μέλαιναν
καὶ Θάνατον, τέκε δ' Ὕπνον, ἔτικτε δὲ φῦλον Ὀνείρων.
214 δεύτερον αὖ Μῶμον καὶ Ὀιζὺν ἀλγινόεσσαν
213 οὔ τινι κοιμηθεῖσα θεῶν τέκε Νὺξ ἐρεβεννή,
215 Ἑσπερίδας θ', αἷς μῆλα πέρην κλυτοῦ Ὠκεανοῖο
χρύσεα καλὰ μέλουσι φέροντά τε δένδρεα καρπόν·
καὶ Μοίρας καὶ Κῆρας ἐγείνατο νηλεοποίνους,
[Κλωθώ τε Λάχεσίν τε καὶ Ἄτροπον, αἵ τε βροτοῖσι
γεινομένοισι διδοῦσιν ἔχειν ἀγαθόν τε κακόν τε,]
220 αἵ τ' ἀνδρῶν τε θεῶν τε παραιβασίας ἐφέπουσιν,
οὐδέ ποτε λήγουσι θεαὶ δεινοῖο χόλοιο,
πρίν γ' ἀπὸ τῷ δώωσι κακὴν ὄπιν, ὅστις ἁμάρτῃ.
τίκτε δὲ καὶ Νέμεσιν πῆμα θνητοῖσι βροτοῖσι
Νὺξ ὀλοή· μετὰ τὴν δ' Ἀπάτην τέκε καὶ Φιλότητα
225 Γῆράς τ' οὐλόμενον, καὶ Ἔριν τέκε καρτερόθυμον.
αὐτὰρ Ἔρις στυγερὴ τέκε μὲν Πόνον ἀλγινόεντα
Λήθην τε Λιμόν τε καὶ Ἄλγεα δακρυόεντα
Ὑσμίνας τε Μάχας τε Φόνους τ' Ἀνδροκτασίας τε
Νείκεά τε Ψεύδεά τε Λόγους τ' Ἀμφιλλογίας τε

Et, de son côté, la Nuit enfanta Moros, *Lot-Fatal*
         [l'odieux, Kère, *Mort* noire,
et *Trépas*, Thanatos ; elle enfanta Hypnos, *Sommeil* ; elle
         [enfantait aussi la tribu des Songes ; 212
et en second lieu, encore, Sarcasme et Lamentation de
         [souffrance. 214
C'est sans dormir avec aucun des dieux que la Nuit obscure
         [eut ces enfants. 213
Puis ce furent les *Nymphes du Soir*, les Hespérides, qui,
         [au-delà de l'illustre Fleuve-Océan, 215
ont le souci des belles pommes d'or et des arbres portant
         [ce fruit.
Elle donna naissance aux *Destinées* comme aux *Morts*, aux
         [Moires comme aux Kères, vengeresses impitoyables :
à Clothô *Fileuse*, Lachèsis *Tire-au-Sort*, Atropos *l'In-*
         [*flexible* — celles qui aux mortels,
à la naissance, donnent d'avoir le bien comme le mal —
comme à celles qui, des hommes et des dieux, poursuivent
         [les transgressions 220
— et jamais ces déesses-là ne mettent un terme à leur
         [terrible colère
avant d'avoir, en retour, fait don de leur vigilance mauvaise
         [à l'auteur de la faute, quel qu'il soit.
Elle enfantait aussi Némésis *Réprobation*, fléau pour les
         [humains mortels,
la Nuit pernicieuse ; et après elle enfanta Duperie, Bonne-
         [Entente
et Vieillesse funeste — et elle enfanta *Lutte*, Éris, être de
         [puissance. 225
Et l'odieuse Lutte enfanta Temps-de-Peine et de souf-
         [france,
Force-d'Oubli, Famine et Souffrances en pleurs,
Mêlées et Batailles, Meurtres et Tueries,
Querelles et Mensonges, Discours et Discours-Doubles,

230 Δυσνομίην τ' Ἄτην τε, συνήθεας ἀλλήλησιν,
Ὅρκόν θ', ὃς δὴ πλεῖστον ἐπιχθονίους ἀνθρώπους
πημαίνει, ὅτε κέν τις ἑκὼν ἐπίορκον ὀμόσσῃ·
Νηρέα δ' ἀψευδέα καὶ ἀληθέα γείνατο Πόντος
πρεσβύτατον παίδων· αὐτὰρ καλέουσι γέροντα,
235 οὕνεκα νημερτής τε καὶ ἤπιος, οὐδὲ θεμίστων
λήθεται, ἀλλὰ δίκαια καὶ ἤπια δήνεα οἶδεν·
αὖτις δ' αὖ Θαύμαντα μέγαν καὶ ἀγήνορα Φόρκυν
Γαίη μισγόμενος καὶ Κητὼ καλλιπάρηον
Εὐρυβίην τ' ἀδάμαντος ἐνὶ φρεσὶ θυμὸν ἔχουσαν.
240 Νηρῆος δ' ἐγένοντο μεγήριτα τέκνα θεάων
πόντῳ ἐν ἀτρυγέτῳ καὶ Δωρίδος ἠυκόμοιο,
κούρης Ὠκεανοῖο τελήεντος ποταμοῖο,
Πρωθώ τ' Εὐκράντη τε Σαώ τ' Ἀμφιτρίτη τε
Εὐδώρη τε Θέτις τε Γαλήνη τε Γλαύκη τε,
245 Κυμοθόη Σπειώ τε θοὴ Θαλίη τ' ἐρόεσσα
Πασιθέη τ' Ἐρατώ τε καὶ Εὐνίκη ῥοδόπηχυς
καὶ Μελίτη χαρίεσσα καὶ Εὐλιμένη καὶ Ἀγαυὴ

Indiscipline et *Erreur-Désastreuse* (Dysnomie et Atè), com-
[pagnes habituelles, 230
et Horkos *(Serment)* qui, le plus souvent, pour les humains
[de cette terre
est un fléau : chaque fois que, délibérément, on prête un
[faux serment.

Quant à Nèrée, sans mensonge ni oubli[24], ce fut Flot-
[Marin qui lui donna naissance :
c'est l'aîné de ses enfants. Mais si on l'appelle le Vieillard,
c'est parce qu'il est véridique et bienveillant, qu'avec lui
[les justes coutumes 235
ne tombent pas dans l'oubli et qu'il ne connaît que desseins
[de justice et de bienveillance.
Puis, à leur tour, vinrent le grand Thaumas *le Merveilleux*
[et le valeureux Phorcys,
nés de son union avec la Terre, ainsi que Cètô *Bête-Marine*
[aux belles joues
et Eurybiè *Vaste-Violence*, dont le cœur a l'ardeur du
[métal indomptable.
De Nèrée naquirent des enfants qu'on se dispute entre
[toutes les déesses, 240
dans le flot marin stérile — elles sont nées aussi de Dôris
[*des Dons* aux beaux cheveux,
la fille d'Océan, le fleuve achevé :
Prôthô *Pousse-devant*[25], Eucrantè *Souveraine*, Saô *Salva-*
[*trice* et puis Amphitrite,
Eudôre *des Beaux-Dons* et Thétis, Galènè *l'Embellie* et *la*
[*Claire* Glaukè,
Cymothoè *Vague-rapide* et *Celle-des-cavernes*, Spéiô la
[rapide, Thalie *des Fêtes*, inspiratrice d'amour, 245
Pasithée *Toute-divine*, Ératô *des Amours*, Eunikè *Bonne-*
[*Victoire* avec ses bras de rose,
Mèlitè *Toute-de-miel*, pleine de grâce, Euliménè *des Bons-*
[*Ports*, Agavè *l'Admirable*,

Δωτώ τε Πρωτώ τε Φέρουσά τε Δυναμένη τε
Νησαίη τε καὶ Ἀκταίη καὶ Πρωτομέδεια,
250   Δωρὶς καὶ Πανόπη καὶ εὐειδὴς Γαλάτεια
Ἱπποθόη τ' ἐρόεσσα καὶ Ἱππονόη ῥοδόπηχυς
Κυμοδόκη θ', ἣ κύματ' ἐν ἠεροειδέι πόντῳ
πνοιάς τε ζαέων ἀνέμων σὺν Κυματολήγῃ
ῥεῖα πρηΰνει καὶ ἐυσφύρῳ Ἀμφιτρίτῃ,
255   Κυμώ τ' Ἠιόνη τε ἐυστέφανός θ' Ἁλιμήδη
Γλαυκονόμη τε φιλομμειδὴς καὶ Ποντοπόρεια
Ληαγόρη τε καὶ Εὐαγόρη καὶ Λαομέδεια
Πουλυνόη τε καὶ Αὐτονόη καὶ Λυσιάνασσα
Εὐάρνη τε φυὴν ἐρατὴ καὶ εἶδος ἄμωμος
260   καὶ Ψαμάθη χαρίεσσα δέμας δίη τε Μενίππη
Νησώ τ' Εὐπόμπη τε Θεμιστώ τε Προνόη τε
Νημερτής θ', ἣ πατρὸς ἔχει νόον ἀθανάτοιο.
αὗται μὲν Νηρῆος ἀμύμονος ἐξεγένοντο
   κοῦραι πεντήκοντα, ἀμύμονα ἔργ' εἰδυῖαι·

78

Dôtô *Donneuse*, Prôtô *Première*, Phérousa *l'Endurante*,
[Dynamène *la Capable*,
Nèsaiè *des Iles*, Actaiè *des Falaises* et puis Prôtomédée,
[*Première-Gardienne*,
Dôris *des Dons*, Panopée *Voit-tout*, la belle Galatée *Teint-*
[*de-Lait*, 250
Hippothoè *aux-Chevaux-Rapides*, qui inspire l'amour,
[Hipponoè aux bras de rose, *Toute-aux-chevaux*,
et *Guette-Vague*, Cymodocè (elle, les vagues, sur le flot
[marin brumeux,
ainsi que les souffles des vents de tempête, avec Cymatolègè
[*Arrête-Vague*,
elle les apaise sans peine — aidée, aussi, d'Amphitrite aux
[belles chevilles).
Et puis Cymô *la Vague* et Èionè *des Grèves* et *Gardienne-*
[*des-Mers* à la belle couronne, Halimèdè, 255
Glauconomè *des Espaces-Clairs*, amie des sourires, et
[Pontoporéia *des Longues-Traversées*,
Lèagorè *Parle-au-Peuple* [26], Évagorè *Bonne-Parleuse*, Lao-
[médée *Gardienne-du-Peuple*,
Poulynoè *Mille-Pensées*, Autonoè *Qui-pense-par-elle-même*
[et Lysianassa *Délie-Seigneur*,
Évarnè *des Beaux-Agneaux*, belle plante qui inspire
[l'amour, beauté sans reproche,
et Psamathè *des Sables* à l'allure gracieuse, la divine
[*Ménippè Qui-retient-les-chevaux*, 260
Nésô *l'Ilienne*, Eupompè *Bonne-Escorte*, Thémisthô *des*
[*Justes-Arrêts*, *l'Avisée* Pronoè,
et Nèmertès *la Véridique*, qui a l'esprit de son père
[immortel.
Voilà celles qui, de Nèrée sans reproche, naquirent :
cinquante filles qui ne connaissent qu'œuvres sans
[reproche.

265   Θαύμας δ' Ὠκεανοῖο βαθυρρείταο θύγατρα
ἠγάγετ' Ἠλέκτρην· ἡ δ' ὠκεῖαν τέκεν Ἶριν
ἠυκόμους θ' Ἁρπυίας, Ἀελλώ τ' Ὠκυπέτην τε,
αἵ ῥ' ἀνέμων πνοιῇσι καὶ οἰωνοῖς ἅμ' ἕπονται
ὠκείῃς πτερύγεσσι· μεταχρόνιαι γὰρ ἴαλλον.

270   Φόρκυι δ' αὖ Κητὼ Γραίας τέκε καλλιπαρήους
ἐκ γενετῆς πολιάς, τὰς δὴ Γραίας καλέουσιν
ἀθάνατοί τε θεοὶ χαμαὶ ἐρχόμενοί τ' ἄνθρωποι,
Πεμφρηδώ τ' εὔπεπλον Ἐνυώ τε κροκόπεπλον,
Γοργούς θ', αἳ ναίουσι πέρην κλυτοῦ Ὠκεανοῖο
275 ἐσχατιῇ πρὸς νυκτός, ἵν' Ἑσπερίδες λιγύφωνοι,
Σθεννώ τ' Εὐρυάλη τε Μέδουσά τε λυγρὰ παθοῦσα·
ἡ μὲν ἔην θνητή, αἱ δ' ἀθάνατοι καὶ ἀγήρῳ,
αἱ δύο· τῇ δὲ μιῇ παρελέξατο Κυανοχαίτης
ἐν μαλακῷ λειμῶνι καὶ ἄνθεσιν εἰαρινοῖσι.
280 τῆς ὅτε δὴ Περσεὺς κεφαλὴν ἀπεδειροτόμησεν,
ἐξέθορε Χρυσάωρ τε μέγας καὶ Πήγασος ἵππος.
τῷ μὲν ἐπώνυμον ἦν, ὅτ' ἄρ' Ὠκεανοῦ παρὰ πηγὰς

Quant à Thaumas *le Merveilleux*, ce fut une fille d'Océan
[au cours profond 265
qu'il emmena dans sa demeure : Èlectre *la Brillante* ; et
[celle-ci enfanta la rapide Iris, *l'Arc-en-ciel*,
et les Harpyes *Ravisseuses* aux beaux cheveux, Aellô *la*
[*Rafale* et Ocypétè *Vol-Vif*,
qui peuvent talonner les souffles des vents et des oiseaux,
avec leurs ailes rapides : elles pourraient s'élancer avec un
[temps de retard [27].
Puis à son tour, à Phorcys, Cètô *Bête-Marine* enfanta
[des vieilles aux belles joues, 270
chenues dès leur naissance — et qu'on appelle donc les
[*Vieilles*, les Grées,
chez les dieux immortels comme chez les humains qui
[marchent sur la terre :
Pemphrèdô *Guêpe-Goulue*, à la belle robe, et Ényô *des*
[*Batailles* [28], en robe safranée —
et encore les Gorgones qui habitent au-delà de l'illustre
[Océan,
aux confins, du côté de la nuit, au pays des *Nymphes du*
[*Soir*, les Hespérides aux voix sonores. 275
Ce sont Sthennô *la Robuste*, Euryalè *Vaste-Mer* et Méduse
[*Maîtresse*, qui eut un sort funeste.
Elle, elle était mortelle, tandis que les autres ignorent
[mort et vieillesse,
toutes deux. Mais elle fut la seule près de qui vint se
[coucher *Sombre-Crinière* [29],
dans une tendre prairie, dans les fleurs du printemps.
Et de son corps, lorsque Persée, comme on sait, lui coupa
[le cou, 280
jaillirent le grand *Glaive-d'Or*, Chrysaor, et le cheval
[Pégase, *Vives-Eaux*.
L'un recevait ce nom parlant le jour où, près des eaux
[vives d'Océan,

γένθ’, ὁ δ’ ἄορ χρύσειον ἔχων μετὰ χερσὶ φίλῃσι.
χὼ μὲν ἀποπτάμενος, προλιπὼν χθόνα μητέρα μήλων,
285 ἵκετ’ ἐς ἀθανάτους· Ζηνὸς δ’ ἐν δώμασι ναίει
βροντήν τε στεροπήν τε φέρων Διὶ μητιόεντι·
Χρυσάωρ δ’ ἔτεκε τρικέφαλον Γηρυονῆα
μιχθεὶς Καλλιρόῃ κούρῃ κλυτοῦ Ὠκεανοῖο·
τὸν μὲν ἄρ’ ἐξενάριξε βίη Ἡρακληείη
290 βουσὶ πάρ’ εἰλιπόδεσσι περιρρύτῳ εἰν Ἐρυθείῃ
ἤματι τῷ, ὅτε περ βοῦς ἤλασεν εὐρυμετώπους
Τίρυνθ’ εἰς ἱερήν, διαβὰς πόρον Ὠκεανοῖο,
Ὄρθόν τε κτείνας καὶ βουκόλον Εὐρυτίωνα
σταθμῷ ἐν ἠερόεντι πέρην κλυτοῦ Ὠκεανοῖο.
295   ἡ δ’ ἔτεκ’ ἄλλο πέλωρον ἀμήχανον, οὐδὲν ἐοικὸς
θνητοῖς ἀνθρώποις οὐδ’ ἀθανάτοισι θεοῖσι,
σπῆι ἔνι γλαφυρῷ, θείην κρατερόφρον’ Ἔχιδναν,
ἥμισυ μὲν νύμφην ἑλικώπιδα καλλιπάρηον,
ἥμισυ δ’ αὖτε πέλωρον ὄφιν δεινόν τε μέγαν τε
300 αἰόλον ὠμηστήν, ζαθέης ὑπὸ κεύθεσι γαίης.
ἔνθα δέ οἱ σπέος ἐστὶ κάτω κοίλῃ ὑπὸ πέτρῃ
τηλοῦ ἀπ’ ἀθανάτων τε θεῶν θνητῶν τ’ ἀνθρώπων,
ἔνθ’ ἄρα οἱ δάσσαντο θεοὶ κλυτὰ δώματα ναίειν.

il vint au monde, et l'autre parce qu'il naquit tenant
[en main un glaive d'or.
Et l'un, prenant son vol, abandonnant la terre, mère des
[brebis,
arriva chez les immortels (il habite aux demeures de Zeus,   285
portant le tonnerre et l'éclair pour Zeus maître de l'idée)
tandis que Chrysaor *Glaive-d'Or* eut pour enfant Géryon
[aux trois têtes,
de son union avec Callirhoè *Belles-Eaux*, fille de l'illustre
[Océan.
(Celui-là, Hèraclès le Violent le tua et le dépouilla
près de ses bœufs tourne-pieds dans Érythie *la Rouge*
[battue des flots,   290
en ce jour où, justement, il poussa devant lui les bœufs
[au large front
jusqu'à la sainte Tirynthe, franchissant le gué du Fleuve-
[Océan,
après avoir tué Orthos et le bouvier Eurytion,
dans leur parc à bestiaux brumeux, au-delà de l'illustre
[Océan.)
Elle enfanta aussi un autre monstre énorme contre qui
[on ne peut rien, qui ne ressemble en rien   295
aux humains mortels et aux dieux immortels,
au creux de sa caverne : la divine *Vipère*, Échidna, pleine
[d'esprit de puissance,
pour moitié nymphe aux yeux vifs, aux belles joues,
mais pour moitié aussi monstrueux serpent, terrible autant
[que grand,
scintillant, ondoyant [30], qui vous dévore tout cru, dans les
[profondeurs sacrées de la terre divine.   300
C'est là qu'est sa caverne : en bas, dans une cavité du
[rocher,
bien loin des dieux immortels et des humains mortels.
Oui, c'est là que les dieux lui ont imparti d'habiter : ce
[sont ses illustres demeures.

83

ἡ δ᾿ ἔρυτ᾿ εἰν Ἀρίμοισιν ὑπὸ χθόνα λυγρὴ Ἔχιδνα,
305 ἀθάνατος νύμφη καὶ ἀγήραος ἤματα πάντα.
τῇ δὲ Τυφάονά φασι μιγήμεναι ἐν φιλότητι
δεινόν θ᾿ ὑβριστήν τ᾿ ἄνομόν θ᾿ ἑλικώπιδι κούρῃ·
ἡ δ᾿ ὑποκυσαμένη τέκετο κρατερόφρονα τέκνα.
Ὄρθον μὲν πρῶτον κύνα γείνατο Γηρυονῆι·
310 δεύτερον αὖτις ἔτικτεν ἀμήχανον, οὔ τι φατειόν,
Κέρβερον ὠμηστήν, Ἀίδεω κύνα χαλκεόφωνον,
πεντηκοντακέφαλον, ἀναιδέα τε κρατερόν τε·
τὸ τρίτον Ὕδρην αὖτις ἐγείνατο λύγρ᾿ εἰδυῖαν
Λερναίην, ἣν θρέψε θεὰ λευκώλενος Ἥρη
315 ἄπλητον κοτέουσα βίῃ Ἡρακληείῃ.
καὶ τὴν μὲν Διὸς υἱὸς ἐνήρατο νηλέι χαλκῷ
Ἀμφιτρυωνιάδης σὺν ἀρηιφίλῳ Ἰολάῳ
Ἡρακλέης βουλῇσιν Ἀθηναίης ἀγελείης·
ἡ δὲ Χίμαιραν ἔτικτε πνέουσαν ἀμαιμάκετον πῦρ,
320 δεινήν τε μεγάλην τε ποδώκεά τε κρατερήν τε.
τῆς ἦν τρεῖς κεφαλαί· μία μὲν χαροποῖο λέοντος,
ἡ δὲ χιμαίρης, ἡ δ᾿ ὄφιος κρατεροῖο δράκοντος·
[πρόσθε λέων, ὄπιθεν δὲ δράκων, μέσση δὲ χίμαιρα,
δεινὸν ἀποπνείουσα πυρὸς μένος αἰθομένοιο.]

Elle est retenue au pays des Arimes [31], sous le sol, la
    [funeste Vipère,
nymphe soustraite à la mort et à la vieillesse pour toute
    [la suite des jours.   305
C'est à elle que Typhon, dit-on, s'unit de bonne entente,
lui, le terrible, insolent et sans loi, à la fille aux yeux vifs.
Et elle, devenue grosse, enfanta des enfants pleins d'esprit
    [de puissance.
  C'est Orthos, en premier lieu, qu'elle mit au monde, le
    [chien de Géryon.
En second lieu, encore une fois, elle enfantait (contre lui
    [on ne peut rien, mieux vaut n'en pas parler)   310
Cerbère, qui vous dévore tout cru, le chien d'Hadès, avec
    [sa voix de bronze,
avec ses cinquante têtes, sans vergogne et puissant.
En troisième lieu, elle mit encore au monde l'Hydre qui
    [ne connaît que pensées funestes,
l'Hydre de Lerne qu'éleva la déesse Hèrè aux bras blancs,
dans sa rancœur inimaginable contre Hèraclès le Violent.   315
(Et celle-là, le fils de Zeus la mit à mort d'un bronze
    [impitoyable,
l'enfant d'Amphitryon aidé de Iolaos cher à Arès,
Hèraclès — selon les vouloirs d'Athènè Ramasseuse de
    [butin.)
Puis c'est *la Chevrette* qu'elle enfantait, la Chimère qui
    [souffle le feu invincible,
terrible autant que grande, rapide à la course et puissante.   320
Elle avait trois têtes : l'une de lion au regard avide,
une autre de chevrette et la dernière de serpent, de puissant
    [dragon :
« lion par-devant, dragon par-derrière et chevrette au
    [milieu
et son souffle terrible avait l'ardeur du feu flamboyant » [32].

τὴν μὲν Πήγασος εἷλε καὶ ἐσθλὸς Βελλεροφόντης·
ἡ δ' ἄρα Φῖκ' ὀλοὴν τέκε Καδμείοισιν ὄλεθρον,
Ὄρθῳ ὑποδμηθεῖσα, Νεμειαῖόν τε λέοντα,
τόν ῥ' Ἥρη θρέψασα Διὸς κυδρὴ παράκοιτις
γουνοῖσιν κατένασσε Νεμείης, πῆμ' ἀνθρώποις.
ἔνθ' ἄρ' ὅ γ' οἰκείων ἐλεφαίρετο φῦλ' ἀνθρώπων,
κοιρανέων Τρητοῖο Νεμείης ἠδ' Ἀπέσαντος·
ἀλλά ἑ ἲς ἐδάμασσε βίης Ἡρακληείης.

Κητὼ δ' ὁπλότατον Φόρκυι φιλότητι μιγεῖσα
γείνατο δεινὸν ὄφιν, ὃς ἐρεμνῆς κεύθεσι γαίης
πείρασιν ἐν μεγάλοις παγχρύσεα μῆλα φυλάσσει.
τοῦτο μὲν ἐκ Κητοῦς καὶ Φόρκυνος γένος ἐστί.

Τηθὺς δ' Ὠκεανῷ ποταμοὺς τέκε δινήεντας,
Νεῖλόν τ' Ἀλφειόν τε καὶ Ἠριδανὸν βαθυδίνην,
Στρυμόνα Μαίανδρόν τε καὶ Ἴστρον καλλιρέεθρον
Φᾶσίν τε Ῥῆσόν τ' Ἀχελῷόν τ' ἀργυροδίνην
Νέσσόν τε Ῥοδίον θ' Ἁλιάκμονά θ' Ἑπτάπορόν τε
Γρήνικόν τε καὶ Αἴσηπον θεῖόν τε Σιμοῦντα
Πηνειόν τε καὶ Ἕρμον ἐυρρείτην τε Κάικον
Σαγγάριόν τε μέγαν Λάδωνά τε Παρθένιόν τε
Εὔηνόν τε καὶ Ἀλδῆσκον θεῖόν τε Σκάμανδρον·
τίκτε δὲ Κουράων ἱερὸν γένος, αἳ κατὰ γαῖαν
ἄνδρας κουρίζουσι σὺν Ἀπόλλωνι ἄνακτι
καὶ ποταμοῖς, ταύτην δὲ Διὸς πάρα μοῖραν ἔχουσι,
Πειθώ τ' Ἀδμήτη τε Ἰάνθη τ' Ἠλέκτρη τε

(Celle-là, ce fut Pégase qui lui arracha la vie, avec le preux
[Bellérophon.) 325
Puis elle enfanta Phix la pernicieuse, perdition des Cad-
[méens
(Orthos l'avait domptée), ainsi que le Lion de Némée
qui fut élevé par Hèrè, prestigieuse épouse de Zeus,
et par elle logé sur les coteaux de Némée, fléau des
[humains.
C'est là qu'il habitait — et il décimait les tribus des
[humains, 330
régnant en maître sur le Trèton Néméen et sur l'Apésante [33].
(Lui, ce fut la vigueur d'Hèraclès le Violent qui le dompta.)
    Puis Cètô *Bête-Marine* mit au monde, bon cadet, de
[son union de bonne entente avec Phorcys,
le terrible Serpent qui, dans les profondeurs cachées de la
[terre obscure,
à ses grands confins, garde les pommes d'or pur. 335
Voilà la race issue de Bête-Marine et de Phorcys.

    Tèthys, à Océan, enfanta les fleuves tourbillonnants :
le Nil, l'Alphée et l'Éridan aux profonds tourbillons,
le Strymon, le Méandre et l'Istros aux belles eaux,
le Phase, le Rhésos, l'Achéloos aux tourbillons d'argent, 340
le Nessos, le Rhodios, l'Haliacmon, l'Heptaporos,
le Granique, l'Èsopos, le divin Simoïs,
le Pènée et l'Hermos, le Caïque aux bonnes eaux,
et le grand Sangarios, le Ladôn, le Parthénios,
l'Évènos, l'Aldescos et le divin Scamandre. 345
    Elle enfantait aussi la race sacrée des Jeunes Filles [34] qui,
[par toute la terre,
mènent les jeunes gens à l'âge d'homme (avec le Seigneur
[Apollon
et les Fleuves) et tiennent de Zeus ce lot qui est le leur :
Pëïthô *Persuasion*, Admètè *l'Indomptée*, Ianthè *Teint-de-*
[*Violette*, Èlectre *la Brillante*,

87

350 Δωρίς τε Πρυμνώ τε καὶ Οὐρανίη θεοειδὴς
Ἱππώ τε Κλυμένη τε Ῥόδειά τε Καλλιρόη τε
Ζευξώ τε Κλυτίη τε Ἰδυῖά τε Πασιθόη τε
Πληξαύρη τε Γαλαξαύρη τ' ἐρατή τε Διώνη
Μηλόβοσίς τε Θόη τε καὶ εὐειδὴς Πολυδώρη
355 Κερκηίς τε φυὴν ἐρατὴ Πλουτώ τε βοῶπις
Περσηίς τ' Ἰάνειρά τ' Ἀκάστη τε Ξάνθη τε
Πετραίη τ' ἐρόεσσα Μενεσθώ τ' Εὐρώπη τε
Μῆτίς τ' Εὐρυνόμη τε Τελεστώ τε κροκόπεπλος
Χρυσηίς τ' Ἀσίη τε καὶ ἱμερόεσσα Καλυψώ
360 Εὐδώρη τε Τύχη τε καὶ Ἀμφιρὼ Ὠκυρόη τε
καὶ Στύξ, ἣ δή σφεων προφερεστάτη ἐστὶν ἁπασέων.
αὗται ἄρ' Ὠκεανοῦ καὶ Τηθύος ἐξεγένοντο
πρεσβύταται κοῦραι· πολλαί γε μέν εἰσι καὶ ἄλλαι·
τρὶς γὰρ χίλιαί εἰσι τανίσφυροι Ὠκεανῖναι,
365 αἵ ῥα πολυσπερέες γαῖαν καὶ βένθεα λίμνης
πάντη ὁμῶς ἐφέπουσι, θεάων ἀγλαὰ τέκνα.
τόσσοι δ' αὖθ' ἕτεροι ποταμοὶ καναχηδὰ ῥέοντες,
υἱέες Ὠκεανοῦ, τοὺς γείνατο πότνια Τηθύς·

Dôris *des Dons* et Prymnô *Pied-des-Monts*, Ouranie *la*
[*Céleste*, à la beauté divine, 350
Hippô *des Chevaux* et Clymène *l'Illustre*, Rhodée *des*
[*Roses*, Callirhoè *Belles-Eaux*,
Zeuxô *du Joug* et Clytie *la Célèbre*, Idye *la Savante*,
[Pasithoè *Entre-toutes-Rapide*,
Plexaure *Fouet-d'eau*, Galaxaure *Eau-de-Lait*, et puis
[Dionè qui inspire l'amour,
Mélobosis *Bergère*, Thoè *la Rapide* et la belle Polydôre
[*Mille-Dons*,
Cercéis *des Trembles*, belle plante qui inspire l'amour, et
[*Richesse*, Ploutô, aux grands yeux de génisse, 355
Persèis, Ianéira *Force-Virile*, Acastè *des Érables*, et puis
[Xanthè *la Blonde*,
Pétraiè *des Rochers*, inspiratrice d'amour, Ménesthô *la*
[*Constante* et Eurôpe,
Mètis *l'Idée*, Eurynomè *des Vastes-Espaces*, Télestô *l'Ache-*
[*vée* en robe safranée,
Chryséis *la Dorée*, Asie *la Limoneuse*, Calypsô *l'Envelop-*
[*pante* qui éveille le désir,
Eudôre *des Beaux-Dons*, Tychè *Bonne-Fortune*, Amphirhô
[*Double-Flot*, Ocyrhoè *Flot-Vif* 360
et Styx *l'Horreur* — celle-là, parmi elles toutes, l'emporte
[de très loin.
Voilà celles qui naquirent d'Océan et de Tèthys
— leurs filles aînées. Il en est certes beaucoup d'autres :
elles sont trois mille, les Océanines aux fines chevilles
qui, partout disséminées sur la terre et dans les profondeurs
[de l'onde, 365
exercent en tous lieux même surveillance, enfants splendides
[entre toutes les déesses.
Et tout aussi nombreux sont les autres, les fleuves au cours
[retentissant,
les fils d'Océan que mit au monde Tèthys souveraine.

τῶν ὄνομ᾽ ἀργαλέον πάντων βροτὸν ἄνδρα ἐνισπεῖν,
370   οἱ δὲ ἕκαστοι ἴσασιν, ὅσοι περιναιετάουσι.

Θεία δ᾽ Ἠέλιόν τε μέγαν λαμπράν τε Σελήνην
Ἠῶ θ᾽, ἣ πάντεσσιν ἐπιχθονίοισι φαείνει
ἀθανάτοις τε θεοῖσι τοὶ οὐρανὸν εὐρὺν ἔχουσι,
γείναθ᾽ ὑποδμηθεῖσ᾽ Ὑπερίονος ἐν φιλότητι.
375   Κρείῳ δ᾽ Εὐρυβίη τέκεν ἐν φιλότητι μιγεῖσα
Ἀστραῖόν τε μέγαν Πάλλαντά τε δῖα θεάων
Πέρσην θ᾽, ὃς καὶ πᾶσι μετέπρεπεν ἰδμοσύνησιν.
Ἀστραίῳ δ᾽ Ἠὼς ἀνέμους τέκε καρτεροθύμους,
ἀργεστὴν Ζέφυρον Βορέην τ᾽ αἰψηροκέλευθον
380   καὶ Νότον, ἐν φιλότητι θεὰ θεῷ εὐνηθεῖσα.
τοὺς δὲ μέτ᾽ ἀστέρα τίκτεν Ἑωσφόρον Ἠριγένεια
ἄστρά τε λαμπετόωντα, τά τ᾽ οὐρανὸς ἐστεφάνωται.
Στὺξ δ᾽ ἔτεκ᾽ Ὠκεανοῦ θυγάτηρ Πάλλαντι μιγεῖσα
Ζῆλον καὶ Νίκην καλλίσφυρον ἐν μεγάροισι
385   καὶ Κράτος ἠδὲ Βίην ἀριδείκετα γείνατο τέκνα.
τῶν οὐκ ἔστ᾽ ἀπάνευθε Διὸς δόμος, οὐδέ τις ἕδρη,
οὐδ᾽ ὁδός, ὅππῃ μὴ κείνοις θεὸς ἡγεμονεύει,
ἀλλ᾽ αἰεὶ πὰρ Ζηνὶ βαρυκτύπῳ ἑδριόωνται.

Rude tâche pour un mortel que de dire le nom de tous !
Les connaissent, chacun pour son compte, tous ceux qui
[habitent à l'entour. 370
La *Divine* Théia mit au monde Hèlios, le grand *Soleil*,
[*la Lune* brillante, Sélènè,
et Èôs, *l'Aurore*, qui dispense la lumière à tous les êtres
[de la terre
comme aux dieux immortels maîtres du vaste ciel.
Elle les mit au monde domptée par Hypérion *Qui-parcourt-*
[*les-Hauteurs*, de bonne entente avec lui.
A Crios, Eurybiè *Vaste-Violence*, unie de bonne entente,
[enfanta 375
le grand Astraios *l'Étoilé* et encore Pallas (Eurybiè est
[divine entre toutes les déesses)
et Persès qu'entre tous distinguait son savoir.
A l'Étoilé, l'Aurore enfanta les Vents, êtres de puissance
— Zéphyr qui blanchit le ciel, Borée aux routes rapides
et Notos : elle le fit dans la bonne entente, déesse entrée
[au lit d'un dieu. 380
Et après eux, c'est l'astre Porteur d'Aube que la Matineuse
[enfantait,
avec les étoiles resplendissantes, toutes celles dont le ciel
[se couronne.
Quant à Styx, fille d'Océan, de son union avec Pallas,
[elle enfanta
Zèle-Jaloux et Victoire aux belles chevilles, dans son
[palais ;
et Pouvoir et Violence, entre tous remarquables, furent
[aussi ses enfants. 385
Ceux-là, loin de Zeus, n'ont pas de demeure, ni de séjour ;
pas de chemin, non plus, où le dieu ne leur ouvre la
[marche :
à tout instant, c'est aux côtés de Zeus au lourd fracas
[qu'est leur séjour [35].

ὣς γὰρ ἐβούλευσε Στὺξ ἄφθιτος Ὠκεανίνη
390 ἤματι τῷ, ὅτε πάντας Ὀλύμπιος ἀστεροπητὴς
ἀθανάτους ἐκάλεσσε θεοὺς ἐς μακρὸν Ὄλυμπον,
εἶπε δ', ὃς ἂν μετὰ εἷο θεῶν Τιτῆσι μάχοιτο,
μή τιν' ἀπορραίσειν γεράων, τιμὴν δὲ ἕκαστον
ἐξέμεν ἣν τὸ πάρος γε μετ' ἀθανάτοισι θεοῖσι.
395 τὸν δ' ἔφαθ', ὅστις ἄτιμος ὑπὸ Κρόνου ἠδ' ἀγέραστος,
τιμῆς καὶ γεράων ἐπιβησέμεν, ἧ θέμις ἐστίν.
ἦλθε δ' ἄρα πρώτη Στὺξ ἄφθιτος Οὔλυμπόνδε
σὺν σφοῖσιν παίδεσσι φίλου διὰ μήδεα πατρός·
τὴν δὲ Ζεὺς τίμησε, περισσὰ δὲ δῶρα ἔδωκεν.
400 αὐτὴν μὲν γὰρ ἔθηκε θεῶν μέγαν ἔμμεναι ὅρκον,
παῖδας δ' ἤματα πάντα ἑοῦ μεταναιέτας εἶναι.
ὣς δ' αὔτως πάντεσσι διαμπερές, ὥς περ ὑπέστη,
ἐξετέλεσσ'· αὐτὸς δὲ μέγα κρατεῖ ἠδὲ ἀνάσσει.
    Φοίβη δ' αὖ Κοίου πολυήρατον ἦλθεν ἐς εὐνήν·
405 κυσαμένη δἤπειτα θεὰ θεοῦ ἐν φιλότητι
Λητὼ κυανόπεπλον ἐγείνατο, μείλιχον αἰεί,

Car tel fut le conseil auquel se rangea Styx l'impérissable,
                                        [l'Océanine,
en ce jour où l'Olympien maître de l'éclair   390
appela tous les dieux immortels sur les hauteurs de l'Olympe
et leur dit qu'à tout dieu qui se rangerait à ses côtés pour
                                        [combattre les Titans,
il n'arracherait pas, quel qu'il fût, ses privilèges, mais que
                                        [chacun, pour honneurs propres,
garderait au moins ceux qu'il avait jusque-là parmi les
                                        [dieux immortels.
Et quiconque (disait-il) se trouvait, du fait de Cronos, sans
                                        [honneurs propres ni privilèges, 395
entrerait en possession d'honneurs propres et de privilèges,
                                        [comme le veut la juste coutume.
Or la première à venir sur l'Olympe, ce fut Styx l'impéris-
                                        [sable,
accompagnée de ses enfants, en raison des desseins subtils
                                        [de son propre père.
Celle-là, Zeus la mit à l'honneur et la combla de dons
                                        [extraordinaires.
Car il fit qu'elle est, elle, ce sur quoi les dieux prêtent leur
                                        [grand serment [36] 400
et que ses enfants, pour toute la suite des jours, habitent
                                        [avec lui.
Et c'est exactement de la sorte que pour tous, sans cesse,
                                        [de même qu'il a promis,
il a tenu et mené à bonne fin ; seul il a grand pouvoir : il
                                        [est seigneur et maître.
Phoïbè *la Lumineuse*, à son tour, entra au lit d'amour
                                        [de Coïos ;
et donc, ensuite, — devenue grosse, déesse qu'elle était,
                                        [de bonne entente avec un dieu — 405
elle mit au monde Lètô à la robe sombre, toujours facile
                                        [à apaiser,

ἤπιον ἀνθρώποισι καὶ ἀθανάτοισι θεοῖσι,
μείλιχον ἐξ ἀρχῆς, ἀγανώτατον ἐντὸς Ὀλύμπου.
γείνατο δ' Ἀστερίην εὐώνυμον, ἥν ποτε Πέρσης
410   ἠγάγετ' ἐς μέγα δῶμα φίλην κεκλῆσθαι ἄκοιτιν.
ἡ δ' ὑποκυσαμένη Ἑκάτην τέκε, τὴν περὶ πάντων
Ζεὺς Κρονίδης τίμησε· πόρεν δέ οἱ ἀγλαὰ δῶρα,
μοῖραν ἔχειν γαίης τε καὶ ἀτρυγέτοιο θαλάσσης.
ἡ δὲ καὶ ἀστερόεντος ἀπ' οὐρανοῦ ἔμμορε τιμῆς,
415   ἀθανάτοις τε θεοῖσι τετιμένη ἐστὶ μάλιστα.
καὶ γὰρ νῦν, ὅτε πού τις ἐπιχθονίων ἀνθρώπων
ἔρδων ἱερὰ καλὰ κατὰ νόμον ἱλάσκηται,
κικλήσκει Ἑκάτην· πολλή τέ οἱ ἕσπετο τιμὴ
ῥεῖα μάλ', ᾧ πρόφρων γε θεὰ ὑποδέξεται εὐχάς,
420   καί τέ οἱ ὄλβον ὀπάζει, ἐπεὶ δύναμίς γε πάρεστιν.
ὅσσοι γὰρ Γαίης τε καὶ Οὐρανοῦ ἐξεγένοντο
καὶ τιμὴν ἔλαχον, τούτων ἔχει αἶσαν ἁπάντων·
οὐδέ τί μιν Κρονίδης ἐβιήσατο οὐδέ τ' ἀπηύρα,
ὅσσ' ἔλαχεν Τιτῆσι μέτα προτέροισι θεοῖσιν,
425   ἀλλ' ἔχει, ὡς τὸ πρῶτον ἀπ' ἀρχῆς ἔπλετο δασμός.

bienveillante pour les humains comme pour les dieux
[immortels,
facile à apaiser depuis le commencement — rien de plus
[doux dans l'enceinte de l'Olympe !
Elle mit aussi au monde Astérie *l'Étoilée* au nom parlant,
[qu'un jour Persès
emmena dans sa grande demeure pour qu'elle fût appelée
[son épouse. 410
Et elle, devenue grosse, enfanta Hécate que, plus que toute
[divinité,
Zeus fils de Cronos mit à l'honneur. Il lui a prodigué des
[dons splendides :
le droit d'avoir sa part et de la terre et de la mer stérile.
Même du ciel étoilé elle a reçu sa part, ses honneurs propres,
et ainsi, pour les dieux immortels, elle est au plus haut
[des honneurs. 415
Car aujourd'hui même, quand, où que ce soit, l'un des
[humains de la terre,
par un beau sacrifice accompli selon l'usage, cherche à se
[concilier la faveur divine,
il invoque Hécate ; et les honneurs s'attachent en nombre,
sans peine aucune, aux pas de qui voit la déesse (si son
[cœur l'y porte) accepter ses prières.
A celui-là, elle octroie la prospérité, car certes elle a la
[capacité de le faire. 420
Il faut dire que de ceux qui naquirent de la Terre et du
[Ciel
et reçurent du sort des honneurs propres, de tous ceux-là,
[elle tient part de butin.
Et on ne peut dire que le fils de Cronos lui ait fait la
[moindre violence, ni enlevé quoi que ce fût
de tout ce que le sort lui alloua parmi les Titans, parmi
[les premiers dieux.
Non : elle le détient ainsi qu'en premier lieu, dès le
[commencement, se fit le partage. 425

οὐδ᾽, ὅτι μουνογενής, ἧσσον θεὰ ἔμμορε τιμῆς
καὶ γεράων γαίῃ τε καὶ οὐρανῷ ἠδὲ θαλάσσῃ,
ἀλλ᾽ ἔτι καὶ πολὺ μᾶλλον, ἐπεὶ Ζεὺς τίεται αὐτήν.

429 ᾧ δ᾽ ἐθέλῃ, μεγάλως παραγίνεται ἠδ᾽ ὀνίνησιν·
434 ἔν τε δίκῃ βασιλεῦσι παρ᾽ αἰδοίοισι καθίζει,
430 ἔν τ᾽ ἀγορῇ λαοῖσι μεταπρέπει, ὅν κ᾽ ἐθέλησιν·
ἠδ᾽ ὁπότ᾽ ἐς πόλεμον φθισήνορα θωρήσσωνται
ἀνέρες, ἔνθα θεὰ παραγίνεται, οἷς κ᾽ ἐθέλῃσι
433 νίκην προφρονέως ὀπάσαι καὶ κῦδος ὀρέξαι.
439 ἐσθλὴ δ᾽ ἱππήεσσι παρεστάμεν, οἷς κ᾽ ἐθέλησιν·
435 ἐσθλὴ δ᾽ αὖθ᾽ ὁπότ᾽ ἄνδρες ἀεθλεύωσ᾽ ἐν ἀγῶνι·
ἔνθα θεὰ καὶ τοῖς παραγίνεται ἠδ᾽ ὀνίνησι·
νικήσας δὲ βίῃ καὶ κάρτει, καλὸν ἄεθλον
438 ῥεῖα φέρει χαίρων τε, τοκεῦσι δὲ κῦδος ὀπάζει.
440 καὶ τοῖς, οἳ γλαυκὴν δυσπέμφελον ἐργάζονται,
εὔχονται δ᾽ Ἑκάτῃ καὶ ἐρικτύπῳ Ἐννοσιγαίῳ,
ῥηιδίως ἄγρην κυδρὴ θεὸς ὤπασε πολλήν,
ῥεῖα δ᾽ ἀφείλετο φαινομένην, ἐθέλουσά γε θυμῷ.

Et l'on ne peut dire non plus que, pour être fille unique,
      [la déesse ait obtenu moins d'honneurs propres
et de privilèges sur la terre comme au ciel et dans la mer :
elle en a encore bien davantage, car Zeus la tient en
      [honneur.
A qui elle veut, c'est grandement qu'elle prête assistance
      [et service. 429
Au banc de justice, aux côtés des rois respectés, elle fait
      [asseoir 434
(de même qu'à l'assemblée, au milieu du peuple on
      [distingue) qui elle veut. 430
Et chaque fois que, pour le combat destructeur, se
      [cuirassent
les hommes, là encore, la déesse prête son assistance pour
      [(à ceux qu'elle veut)
octroyer, de bon cœur, la victoire et apporter du prestige. 433
Elle fait prouesse pour assister les cavaliers (ceux qu'elle
      [veut) ; 439
elle fait prouesse, encore, chaque fois que les hommes
      [luttent pour le prix, aux concours ; 435
là encore, la déesse, à ceux-là aussi, prête assistance et
      [service :
violence et puissance [37] donnant la victoire, c'est un beau
      [prix
que, sans peine, on remporte, avec joie, et l'on octroie du
      [prestige à ses parents. 438
A ceux aussi qui prennent les clairs espaces tempétueux [38]
      [pour champ de leurs travaux 440
et qui adressent leurs prières à Hécate et au retentissant
      [Ébranleur de la Terre,
sans peine la prestigieuse déesse octroie prise abondante,
et sans peine elle la leur retire, sitôt apparue, si son cœur
      [le veut.

ἐσθλὴ δ' ἐν σταθμοῖσι σὺν Ἑρμῇ ληΐδ' ἀέξειν·
445 βουκολίας δὲ βοῶν τε καὶ αἰπόλια πλατέ' αἰγῶν
ποίμνας τ' εἰροπόκων οἴων, θυμῷ γ' ἐθέλουσα,
ἐξ ὀλίγων βριάει κἀκ πολλῶν μείονα θῆκεν.
οὕτω τοι καὶ μουνογενὴς ἐκ μητρὸς ἐοῦσα
πᾶσι μετ' ἀθανάτοισι τετίμηται γεράεσσι.
450 θῆκε δέ μιν Κρονίδης κουροτρόφον, οἳ μετ' ἐκείνην
ὀφθαλμοῖσιν ἴδοντο φάος πολυδερκέος Ἠοῦς.
οὕτως ἐξ ἀρχῆς κουροτρόφος, αἳ δέ τε τιμαί.

Ῥείη δὲ δμηθεῖσα Κρόνῳ τέκε φαίδιμα τέκνα,
Ἱστίην Δήμητρα καὶ Ἥρην χρυσοπέδιλον,
455 ἴφθιμόν τ' Ἀίδην, ὃς ὑπὸ χθονὶ δώματα ναίει
νηλεὲς ἦτορ ἔχων, καὶ ἐρίκτυπον Ἐννοσίγαιον,
Ζῆνά τε μητιόεντα, θεῶν πατέρ' ἠδὲ καὶ ἀνδρῶν,
τοῦ καὶ ὑπὸ βροντῆς πελεμίζεται εὐρεῖα χθών.
καὶ τοὺς μὲν κατέπινε μέγας Κρόνος, ὥς τις ἕκαστος
460 νηδύος ἐξ ἱερῆς μητρὸς πρὸς γούναθ' ἵκοιτο,
τὰ φρονέων, ἵνα μή τις ἀγαυῶν Οὐρανιώνων
ἄλλος ἐν ἀθανάτοισιν ἔχοι βασιληΐδα τιμήν.
πεύθετο γὰρ Γαίης τε καὶ Οὐρανοῦ ἀστερόεντος
οὕνεκά οἱ πέπρωτο ἑῷ ὑπὸ παιδὶ δαμῆναι,

Elle fait prouesse encore dans les parcs à bestiaux, avec
                    [Hermès, pour faire croître le butin[39].
Manades de bœufs, vastes hardes de chèvres   445
et troupeaux de brebis à l'épaisse toison (si son cœur le
                    [veut)
s'ils étaient clairsemés, elle les renforce — comme, s'ils
                    [sont abondants, elle peut les amoindrir.
Ainsi, en vérité, même si elle est l'unique enfant né de sa
                    [mère,
entre tous les immortels, elle est honorée de privilèges.
Et le fils de Cronos a fait d'elle la protectrice des jeunes
                    [hommes, pour ceux qui, après elle,   450
ont vu de leurs yeux la lumière de l'Aurore qui tient mille
                    [choses sous son regard.
Ainsi, depuis le commencement, elle est protectrice des
                    [jeunes hommes ; voilà ses honneurs propres.
    Rhèiè, domptée par Cronos, lui enfanta de glorieux
                    [enfants :
Histiè *du Foyer*, Dèmèter, Hèrè aux sandales d'or,
ainsi qu'Hadès le Fort (celui qui, sous le sol, a ses
                    [demeures,   455
cœur impitoyable), le retentissant Ébranleur de la Terre
et Zeus maître de l'idée, père des dieux et des hommes,
dont le tonnerre fait aussi trembler la vaste terre.
Et ceux-là, le grand Cronos les avalait tout rond[40], sitôt
                    [que chacun,
quittant les entrailles sacrées de sa mère, arrivait à ses
                    [genoux[41]   460
— cela, avec cette pensée en tête : qu'aucun des admirables
                    [descendants du Ciel,
que personne d'autre que lui, parmi les immortels, ne
                    [détînt les honneurs royaux.
Il tenait en effet de la Terre et du Ciel étoilé
qu'il devait fatalement, soumis à son propre fils, se
                    [retrouver dompté,

465   καὶ κρατερῷ περ ἐόντι, Διὸς μεγάλου διὰ βουλάς.
    τῷ ὅ γ' ἄρ' οὐκ ἀλαοσκοπιὴν ἔχεν, ἀλλὰ δοκεύων
    παῖδας ἑοὺς κατέπινε· Ῥέην δ' ἔχε πένθος ἄλαστον.
    ἀλλ' ὅτε δὴ Δί' ἔμελλε θεῶν πατέρ' ἠδὲ καὶ ἀνδρῶν
    τέξεσθαι, τότ' ἔπειτα φίλους λιτάνευε τοκῆας
470   τοὺς αὐτῆς, Γαῖάν τε καὶ Οὐρανὸν ἀστερόεντα,
    μῆτιν συμφράσσασθαι, ὅπως λελάθοιτο τεκοῦσα
    παῖδα φίλον, τείσαιτο δ' ἐρινῦς πατρὸς ἑοῖο
    παίδων ⟨θ'⟩ οὓς κατέπινε μέγας Κρόνος ἀγκυλομήτης.
    οἱ δὲ θυγατρὶ φίλῃ μάλα μὲν κλύον ἠδ' ἐπίθοντο,
475   καί οἱ πεφραδέτην, ὅσα περ πέπρωτο γενέσθαι
    ἀμφὶ Κρόνῳ βασιλῆι καὶ υἱέι καρτεροθύμῳ·
    πέμψαν δ' ἐς Λύκτον, Κρήτης ἐς πίονα δῆμον,
    ὁππότ' ἄρ' ὁπλότατον παίδων ἤμελλε τεκέσθαι,
    Ζῆνα μέγαν· τὸν μέν οἱ ἐδέξατο Γαῖα πελώρη
480   Κρήτῃ ἐν εὐρείῃ τρεφέμεν ἀτιταλλέμεναί τε.
    ἔνθά μιν ἷκτο φέρουσα θοὴν διὰ νύκτα μέλαιναν,
    πρώτην ἐς Λύκτον· κρύψεν δέ ἑ χερσὶ λαβοῦσα
    ἄντρῳ ἐν ἠλιβάτῳ, ζαθέης ὑπὸ κεύθεσι γαίης,

tout puissant qu'il était — en vertu des vouloirs du grand
[Zeus. 465
Aussi ne montait-il pas la garde en aveugle, mais, toujours
[aux aguets,
il avalait tout rond ses propres enfants. Et Rhèiè, à son
[deuil, ne trouvait pas d'oubli.
Mais au moment où c'était Zeus, père des dieux et des
[hommes,
qu'elle allait enfanter, la voilà qui, alors, suppliait ses
[parents
(ses parents à elle : la Terre et le Ciel étoilé) 470
de réfléchir avec elle à une idée qui pût l'aider à se faire
[oublier au moment
d'enfanter son fils — et à faire payer le prix dû aux
[Érinyes de son père
et des enfants qu'avalait tout rond le grand Cronos aux
[idées retorses.
Eux, à bien écouter leur fille, se laissaient convaincre :
ils lui expliquèrent tout ce qui devait fatalement arriver 475
concernant le roi Cronos et son fils, cet être plein de
[puissance.
Ils l'envoyèrent à Lyctos, au gras pays de Crète,
au moment où elle allait enfanter, bon cadet, le dernier de
[ses enfants,
le grand Zeus. Celui-là, pour elle, c'est l'énorme Terre qui
[le reçut,
dans la vaste Crète, pour l'élever et le dorloter. 480
C'est là qu'elle était arrivée, quand elle l'emportait à
[travers la nuit noire, rapide :
d'abord à Lyctos [42]. Et elle le cacha, le prenant dans ses
[mains,
dans une grotte gigantesque, au fond des cachettes de la
[terre divine,

101

Αἰγαίῳ ἐν ὄρει πεπυκασμένῳ ὑλήεντι.
485 τῷ δὲ σπαργανίσασα μέγαν λίθον ἐγγυάλιξεν
Οὐρανίδῃ μέγ᾽ ἄνακτι, θεῶν προτέρων βασιλῆι.
τὸν τόθ᾽ ἑλὼν χείρεσσιν ἑὴν ἐσκάτθετο νηδύν,
σχέτλιος, οὐδ᾽ ἐνόησε μετὰ φρεσίν, ὥς οἱ ὀπίσσω
ἀντὶ λίθου ἑὸς υἱὸς ἀνίκητος καὶ ἀκηδὴς
490 λείπεθ᾽, ὅ μιν τάχ᾽ ἔμελλε βίῃ καὶ χερσὶ δαμάσσας
τιμῆς ἐξελάαν, ὁ δ᾽ ἐν ἀθανάτοισιν ἀνάξειν.
    καρπαλίμως δ᾽ ἄρ᾽ ἔπειτα μένος καὶ φαίδιμα γυῖα
ηὔξετο τοῖο ἄνακτος· ἐπιπλομένου δ᾽ ἐνιαυτοῦ,
Γαίης ἐννεσίῃσι πολυφραδέεσσι δολωθείς,
495 ὃν γόνον ἂψ ἀνέηκε μέγας Κρόνος ἀγκυλομήτης,
νικηθεὶς τέχνῃσι βίηφί τε παιδὸς ἑοῖο.
πρῶτον δ᾽ ἐξήμησε λίθον, πύματον καταπίνων·
τὸν μὲν Ζεὺς στήριξε κατὰ χθονὸς εὐρυοδείης
Πυθοῖ ἐν ἠγαθέῃ, γυάλοις ὕπο Παρνησοῖο,
500 σῆμ᾽ ἔμεν ἐξοπίσω, θαῦμα θνητοῖσι βροτοῖσι.
    λῦσε δὲ πατροκασιγνήτους ὀλοῶν ὑπὸ δεσμῶν,
Οὐρανίδας, οὓς δῆσε πατὴρ ἀεσιφροσύνῃσιν·

dans le mont Égéon, sous l'épais couvert de ses forêts.
Puis, à l'autre : emmaillotant une grande pierre, elle la
[remit 485
au fils du Ciel, au grand maître et seigneur, au roi des
[premiers dieux.
C'est celle-ci qu'alors il saisit de ses mains et mit en sûreté
[au fond de ses entrailles,
le misérable ! sans même s'apercevoir ni penser qu'il avait
[derrière lui [43], désormais,
(au lieu de la pierre) son propre fils invincible et à l'abri
[de tout chagrin :
il lui restait ; c'est lui qui allait bientôt, le domptant de
[vive violence et de ses mains, 490
le chasser, l'arracher à ses honneurs : être lui-même à
[l'avenir maître et seigneur parmi les immortels.
Or c'est bien vite, ensuite, que la force ardente et les
[membres glorieux
de ce maître et seigneur grandissaient ; et, avec le retour
[de l'année,
sur les suggestions longuement méditées de la Terre, victime
[de leur ruse,
il recracha sa progéniture, le grand Cronos aux idées
[retorses, 495
vaincu par le savoir-faire et la violence de son propre fils !
Et en premier lieu il vomit la pierre, puisqu'il l'avait avalée
[en dernier.
Celle-là, Zeus la fixa sur le sol aux larges routes,
à Pythô la divine, au fond des vallons du Parnasse,
pour qu'elle fût désormais un signe — une merveille pour
[les humains mortels. 500
Puis il délivra les frères de son père [44] des liens pernicieux
[qui les retenaient
— les fils du Ciel que leur père avait chargés de liens dans
[l'égarement de son esprit.

οἵ οἱ ἀπεμνήσαντο χάριν εὐεργεσιάων,
δῶκαν δὲ βροντὴν ἠδ' αἰθαλόεντα κεραυνὸν
505 καὶ στεροπήν· τὸ πρὶν δὲ πελώρη Γαῖα κεκεύθει·
τοῖς πίσυνος θνητοῖσι καὶ ἀθανάτοισιν ἀνάσσει.

κούρην δ' Ἰαπετὸς καλλίσφυρον Ὠκεανίνην
ἠγάγετο Κλυμένην καὶ ὁμὸν λέχος εἰσανέβαινεν·
ἡ δέ οἱ Ἄτλαντα κρατερόφρονα γείνατο παῖδα,
510 τίκτε δ' ὑπερκύδαντα Μενοίτιον ἠδὲ Προμηθέα,
ποικίλον αἰολόμητιν, ἁμαρτίνοόν τ' Ἐπιμηθέα·
ὃς κακὸν ἐξ ἀρχῆς γένετ' ἀνδράσιν ἀλφηστῇσι·
πρῶτος γάρ ῥα Διὸς πλαστὴν ὑπέδεκτο γυναῖκα
παρθένον. ὑβριστὴν δὲ Μενοίτιον εὐρύοπα Ζεὺς
515 εἰς ἔρεβος κατέπεμψε βαλὼν ψολόεντι κεραυνῷ
εἵνεκ' ἀτασθαλίης τε καὶ ἠνορέης ὑπερόπλου.
Ἄτλας δ' οὐρανὸν εὐρὺν ἔχει κρατερῆς ὑπ' ἀνάγκης,
πείρασιν ἐν γαίης πρόπαρ Ἑσπερίδων λιγυφώνων
ἑστηώς, κεφαλῇ τε καὶ ἀκαμάτῃσι χέρεσσι·
520 ταύτην γάρ οἱ μοῖραν ἐδάσσατο μητίετα Ζεύς.
δῆσε δ' ἀλυκτοπέδῃσι Προμηθέα ποικιλόβουλον,

104

Eux, vis-à-vis de lui, gardèrent mémoire et reconnaissance
[de ces bienfaits :
ils lui donnèrent le tonnerre, la foudre brûlante
et l'éclair (auparavant l'énorme Terre les avait tenus
[cachés).   505
C'est à cela qu'il se fie pour être, sur les mortels comme
[sur les immortels, maître et seigneur.
Quant à Japet, ce fut une Jeune fille, une Océanine aux
[belles chevilles,
l'*Illustre* Clymène, qu'il emmena chez lui. Il montait au
[même lit
et elle, elle lui donna pour fils Atlas, plein d'esprit de
[puissance.
Elle enfantait encore le plus que glorieux Ménoïtios, ainsi
[que Prométhée *Pense-d'Abord*,   510
toujours divers, à l'idée ondoyante, et avec lui, esprit qui
[passe à côté de sa cible, Épiméthée, *Pense-Après*.
Celui-là, dès le commencement, fut un malheur pour les
[hommes mangeurs de pain :
c'est lui, aux premiers temps, quand elle fut modelée, qui
[accepta de Zeus pour femme
la vierge que l'on sait. L'insolent Ménoïtios, Zeus au vaste
[regard
l'envoya dans l'Érèbe *obscur*, d'un trait de sa foudre
[fumante   515
en raison de sa folle présomption et de son courage plus
[que redoutable.
Atlas, lui, soutient le vaste ciel, pliant sous la puissante
[contrainte,
aux confins de la terre, face aux *Nymphes du Soir*, les
[Hespérides aux voix sonores,
debout, de sa tête et de ses bras infatigables :
c'est le lot que lui a imparti Zeus maître de l'idée.   520
Et il lia d'infrangibles entraves Prométhée au vouloir
[toujours divers,

δεσμοῖς ἀργαλέοισι, μέσον διὰ κίον' ἐλάσσας·
καί οἱ ἐπ' αἰετὸν ὦρσε τανύπτερον· αὐτὰρ ὅ γ' ἧπαρ
ἤσθιεν ἀθάνατον, τὸ δ' ἀέξετο ἶσον ἁπάντη
525   νυκτός, ὅσον πρόπαν ἦμαρ ἔδοι τανυσίπτερος ὄρνις.
τὸν μὲν ἄρ' Ἀλκμήνης καλλισφύρου ἄλκιμος υἱὸς
Ἡρακλέης ἔκτεινε, κακὴν δ' ἀπὸ νοῦσον ἄλαλκεν
Ἰαπετιονίδη καὶ ἐλύσατο δυσφροσυνάων,
οὐκ ἀέκητι Ζηνὸς Ὀλυμπίου ὕψι μέδοντος,
530   ὄφρ' Ἡρακλῆος Θηβαγενέος κλέος εἴη
πλεῖον ἔτ' ἢ τὸ πάροιθεν ἐπὶ χθόνα πουλυβότειραν.
ταῦτ' ἄρα ἀζόμενος τίμα ἀριδείκετον υἱόν·
καί περ χωόμενος παύθη χόλου, ὃν πρὶν ἔχεσκεν,
οὕνεκ' ἐρίζετο βουλὰς ὑπερμενέι Κρονίωνι.
535   καὶ γὰρ ὅτ' ἐκρίνοντο θεοὶ θνητοί τ' ἄνθρωποι
Μηκώνη, τότ' ἔπειτα μέγαν βοῦν πρόφρονι θυμῷ
δασσάμενος προύθηκε, Διὸς νόον ἐξαπαφίσκων.
τῷ μὲν γὰρ σάρκάς τε καὶ ἔγκατα πίονα δημῷ
ἐν ῥινῷ κατέθηκε, καλύψας γαστρὶ βοείῃ,
540   τοῖς δ' αὖτ' ὀστέα λευκὰ βοὸς δολίῃ ἐπὶ τέχνῃ

de liens douloureux (il fit passer une colonne en leur
[milieu).
Et sur lui il lâcha aussi un aigle aux longues ailes — et
[l'aigle mangeait le foie
immortel, mais celui-ci s'accroissait d'une quantité en tout
[point égale,
pendant la nuit, à ce que, durant le jour, mangeait l'oiseau
[aux longues ailes. 525
Celui-là, le vaillant fils d'Alcmène aux belles chevilles,
Hèraclès, le tua — et, en écartant par sa vaillance
[cette mauvaise peste
du fils de Japet, il le délivra de ce qui tourmentait son
[cœur :
ce ne fut pas contre le gré de Zeus, l'Olympien souverain
[des hauteurs,
c'était pour que la gloire d'Hèraclès né de Thèbes fût   530
encore plus grande qu'avant sur le sol nourricier.
Ces honneurs, c'était, on le voit, en témoignage de respect
[qu'il les accordait à son fils remarquable :
en dépit de sa rage, il mit un terme à la colère qu'il
[éprouvait jusque-là
parce que les vouloirs de Prométhée entraient en lutte avec
[les siens — ceux du fils de Cronos plus qu'ardent.
Il faut dire qu'au jour où se réglaient les différends
[entre dieux et humains, 535
à Mècônè⁴⁵, ce jour-là, donc, après avoir, d'un grand
[bœuf, fait de bon cœur
les parts, il les disposa devant tous en cherchant à berner
[l'esprit de Zeus :
pour l'un, la viande et les abats riches de graisse — mais...
il les disposa dans la peau de la bête, enveloppés, cachés
[dans la panse du bœuf ;
pour les autres, les os blancs du bœuf — mais... (c'est le
[savoir-faire rusé) 540

εὐθετίσας κατέθηκε, καλύψας ἀργέτι δημῷ.
δὴ τότε μιν προσέειπε πατὴρ ἀνδρῶν τε θεῶν τε·
" Ἰαπετιονίδη, πάντων ἀριδείκετ' ἀνάκτων,
ὦ πέπον, ὡς ἑτεροζήλως διεδάσσαο μοίρας."

545 ὣς φάτο κερτομέων Ζεὺς ἄφθιτα μήδεα εἰδώς·
τὸν δ' αὖτε προσέειπε Προμηθεὺς ἀγκυλομήτης,
ἧκ' ἐπιμειδήσας, δολίης δ' οὐ λήθετο τέχνης·
"Ζεῦ κύδιστε μέγιστε θεῶν αἰειγενετάων,
τῶν δ' ἕλευ ὁπποτέρην σε ἐνὶ φρεσὶ θυμὸς ἀνώγει."

550 φῆ ῥα δολοφρονέων· Ζεὺς δ' ἄφθιτα μήδεα εἰδὼς
γνῶ ῥ' οὐδ' ἠγνοίησε δόλον· κακὰ δ' ὄσσετο θυμῷ
θνητοῖς ἀνθρώποισι, τὰ καὶ τελέεσθαι ἔμελλε.
χερσὶ δ' ὅ γ' ἀμφοτέρῃσιν ἀνείλετο λευκὸν ἄλειφαρ,
χώσατο δὲ φρένας ἀμφί, χόλος δέ μιν ἵκετο θυμόν,

555 ὡς ἴδεν ὀστέα λευκὰ βοὸς δολίῃ ἐπὶ τέχνῃ.
ἐκ τοῦ δ' ἀθανάτοισιν ἐπὶ χθονὶ φῦλ' ἀνθρώπων
καίουσ' ὀστέα λευκὰ θυηέντων ἐπὶ βωμῶν.
τὸν δὲ μέγ' ὀχθήσας προσέφη νεφεληγερέτα Ζεύς·
" Ἰαπετιονίδη, πάντων πέρι μήδεα εἰδώς,

560 ὦ πέπον, οὐκ ἄρα πω δολίης ἐπελήθεο τέχνης."

il les disposa de belle façon, enveloppés, cachés dans la
[graisse luisante.
Alors le père des hommes et des dieux lui dit :
« Ô fils de Japet, remarquable entre tous les maîtres et
[seigneurs,
quelle partialité, mon bon, dans ta répartition des lots ! »
Ainsi parlait, d'un ton railleur, Zeus qui ne connaît que
[desseins impérissables.   545
Mais, de son côté, Prométhée aux pensées retorses
[répliqua,
avec un petit sourire et sans oublier le savoir-faire rusé :
« Ô Zeus très glorieux, le plus grand des dieux éternels,
mais choisis donc, de ces deux lots, celui que ton cœur,
[dans tes entrailles, te dit de prendre ! »
Voilà ce qu'il disait, n'ayant que ruse en tête. Zeus (qui
[ne connaît que desseins impérissables)   550
reconnut — il fut loin de la méconnaître ! — la ruse ; et
[il prévoyait en lui-même les maux
qui attendaient les humains mortels : ceux qui, justement,
[allaient se réaliser.
Mais, à deux mains, il souleva et prit pour lui la blanche
[graisse
— et la rage lui serra les entrailles, la bile de la colère
[envahit son cœur,
quand il vit les os blancs du bœuf (et le savoir-faire rusé).   555
(C'est depuis lors que, pour les immortels, les tribus des
[humains de la terre
font brûler les os blancs, sur les autels odorants.)
Alors, ulcéré, Zeus rassembleur de nuages dit à l'autre :
« Ô fils de Japet, qui plus que tous en connais long en
[matière de desseins,
ce n'était donc pas encore pour aujourd'hui, mon bon,
[ton oubli du savoir-faire rusé ! »   560

ὣς φάτο χωόμενος Ζεὺς ἄφθιτα μήδεα εἰδώς.
ἐκ τούτου δήπειτα χόλου μεμνημένος αἰεὶ
οὐκ ἐδίδου μελίῃσι πυρὸς μένος ἀκαμάτοιο
θνητοῖς ἀνθρώποις οἳ ἐπὶ χθονὶ ναιετάουσιν·
565   ἀλλά μιν ἐξαπάτησεν ἐῢς πάις Ἰαπετοῖο
κλέψας ἀκαμάτοιο πυρὸς τηλέσκοπον αὐγὴν
ἐν κοίλῳ νάρθηκι· δάκεν δ' ἄρα νειόθι θυμὸν
Ζῆν' ὑψιβρεμέτην, ἐχόλωσε δέ μιν φίλον ἦτορ,
ὡς ἴδ' ἐν ἀνθρώποισι πυρὸς τηλέσκοπον αὐγήν.
570   αὐτίκα δ' ἀντὶ πυρὸς τεῦξεν κακὸν ἀνθρώποισι·
γαίης γὰρ σύμπλασσε περικλυτὸς Ἀμφιγυήεις
παρθένῳ αἰδοίῃ ἴκελον Κρονίδεω διὰ βουλάς·
ζῶσε δὲ καὶ κόσμησε θεὰ γλαυκῶπις Ἀθήνη
ἀργυφέῃ ἐσθῆτι· κατὰ κρῆθεν δὲ καλύπτρην
575   δαιδαλέην χείρεσσι κατέσχεθε, θαῦμα ἰδέσθαι·
[ἀμφὶ δέ οἱ στεφάνους νεοθηλέας, ἄνθεα ποίης,
ἱμερτοὺς περίθηκε καρήατι Παλλὰς Ἀθήνη·]
ἀμφὶ δέ οἱ στεφάνην χρυσέην κεφαλῆφιν ἔθηκε,
τὴν αὐτὸς ποίησε περικλυτὸς Ἀμφιγυήεις
580   ἀσκήσας παλάμῃσι, χαριζόμενος Διὶ πατρί.
τῇ δ' ἔνι δαίδαλα πολλὰ τετεύχατο, θαῦμα ἰδέσθαι,
κνώδαλ' ὅσ' ἤπειρος δεινὰ τρέφει ἠδὲ θάλασσα·

Ainsi parlait, dans sa rage, Zeus qui ne connaît que
[desseins impérissables.
Depuis lors, bien sûr, sa colère sans cesse en mémoire,
il refusait de donner aux frênes[46] la force ardente du feu
[infatigable
pour les humains mortels habitants de la terre.
Mais le brave fils de Japet le dupa :   565
il déroba le feu infatigable — son éclat visible de loin —
au creux de la tige d'une férule[47] ; et cela mordit au vif,
[au fond de l'être,
Zeus qui gronde dans les hauteurs, cela lui emplit le cœur
[de bile,
de voir le feu chez les humains — son éclat visible de loin.
Aussitôt (en contrepartie[48] du feu) il forgea un mal pour
[les humains. 570
Prenant de la terre, le très illustre Boiteux modela
la semblance d'une vierge respectée — en vertu des vouloirs
[du fils de Cronos.
La déesse aux yeux clairs, Athènè, la ceignit, la para
d'un vêtement éblouissant de blancheur ; de la tête aux
[pieds, elle l'enveloppa,
de ses mains, d'un voile savamment brodé — une merveille
[pour les yeux ! 575
Et autour, en fraîches couronnes, ce furent des fleurs des
[prés
— couronnes désirables — que Pallas Athènè disposa sur
[sa tête.
Puis, sur sa tête, elle posa un diadème d'or,
œuvre du très illustre Boiteux en personne :
il s'y était appliqué de main experte, pour s'attirer les
[bonnes grâces de Zeus père. 580
On y voyait forgées en mille ciselures savantes — une
[merveille pour les yeux !
toutes les bêtes brutes que, pour l'effroi de tous, nourrissent
[terre et mer ;

111

τῶν ὅ γε πόλλ᾽ ἐνέθηκε, χάρις δ᾽ ἐπὶ πᾶσιν ἄητο,
θαυμάσια, ζωοῖσιν ἐοικότα φωνήεσσιν.

585 αὐτὰρ ἐπεὶ δὴ τεῦξε καλὸν κακὸν ἀντ᾽ ἀγαθοῖο,
ἐξάγαγ᾽ ἔνθά περ ἄλλοι ἔσαν θεοὶ ἠδ᾽ ἄνθρωποι,
κόσμῳ ἀγαλλομένην γλαυκώπιδος Ὀβριμοπάτρης·
θαῦμα δ᾽ ἔχ᾽ ἀθανάτους τε θεοὺς θνητούς τ᾽ ἀνθρώπους,
ὡς εἶδον δόλον αἰπύν, ἀμήχανον ἀνθρώποισιν.

590 ἐκ τῆς γὰρ γένος ἐστὶ γυναικῶν θηλυτεράων,
[τῆς γὰρ ὀλοίιόν ἐστι γένος καὶ φῦλα γυναικῶν,]
πῆμα μέγα θνητοῖσι, σὺν ἀνδράσι ναιετάουσαι,
οὐλομένης Πενίης οὐ σύμφοροι, ἀλλὰ Κόροιο.
ὡς δ᾽ ὁπότ᾽ ἐν σμήνεσσι κατηρεφέεσσι μέλισσαι

595 κηφῆνας βόσκωσι, κακῶν ξυνήονας ἔργων·
αἱ μέν τε πρόπαν ἦμαρ ἐς ἠέλιον καταδύντα
†ἠμάτιαι σπεύδουσι τιθεῖσί τε κηρία λευκά,
οἱ δ᾽ ἔντοσθε μένοντες ἐπηρεφέας κατὰ σίμβλους
ἀλλότριον κάματον σφετέρην ἐς γαστέρ᾽ ἀμῶνται·

112

il y en disposa, lui, des milliers — et la grâce soufflait sur
[toutes :
elles étaient merveilleuses ; on les eût crues vivantes, prêtes
[à donner de la voix.
Puis, quand il eut donc forgé un beau mal, en contrepar-
[tie d'un bien, 585
il l'amena au jour, à l'endroit même où se trouvaient les
[autres, dieux et humains.
toute fière de sa parure, don de la déesse aux yeux clairs,
[Fille d'un père plein de force.
Et l'émerveillement tenait cois dieux immortels et humains
[mortels
à la vue de la profondeur de la ruse : contre elle les
[humains ne peuvent rien.
C'est de celle-là [49], en effet, que provient la race des
[femmes, femelles de leur espèce ; 590
oui, c'est d'elle que proviennent, pernicieuses, la race et
[les tribus des femmes,
grand fléau pour les mortels : elles habitent avec les
[hommes
et de Pauvreté maudite ne se font pas les compagnes — il
[leur faut Plus-qu'Assez.
C'est comme lorsque, sous le couvert des ruches, les
[abeilles
engraissent les faux bourdons que partout suivent œuvres
[de mal : 595
elles, tout au long du jour, jusqu'au coucher du soleil,
jour après jour se hâtent et posent leurs rayons de cire
[blanche ;
les autres restent dedans, sous le couvert et au fond des
[ruchers,
et c'est la fatigue d'autrui qu'ils engrangent dans leur
[panse.

ὣς δ᾽ αὔτως ἄνδρεσσι κακὸν θνητοῖσι γυναῖκας 600
Ζεὺς ὑψιβρεμέτης θῆκε, ξυνήονας ἔργων
ἀργαλέων. ἕτερον δὲ πόρεν κακὸν ἀντ᾽ ἀγαθοῖο,
ὅς κε γάμον φεύγων καὶ μέρμερα ἔργα γυναικῶν
μὴ γῆμαι ἐθέλῃ, ὀλοὸν δ᾽ ἐπὶ γῆρας ἵκηται
χήτει γηροκόμοιο· ὁ δ᾽ οὐ βιότου γ᾽ ἐπιδευὴς 605
ζώει, ἀποφθιμένου δὲ διὰ ζωὴν δατέονται
χηρωσταί. ᾧ δ᾽ αὖτε γάμου μετὰ μοῖρα γένηται,
κεδνὴν δ᾽ ἔσχεν ἄκοιτιν, ἀρηρυῖαν πραπίδεσσι,
τῷ δέ τ᾽ ἀπ᾽ αἰῶνος κακὸν ἐσθλῷ ἀντιφερίζει
ἐμμενές· ὃς δέ κε τέτμῃ ἀταρτηροῖο γενέθλης, 610
ζώει ἐνὶ στήθεσσιν ἔχων ἀλίαστον ἀνίην
θυμῷ καὶ κραδίῃ, καὶ ἀνήκεστον κακόν ἐστιν.
ὣς οὐκ ἔστι Διὸς κλέψαι νόον οὐδὲ παρελθεῖν.
οὐδὲ γὰρ Ἰαπετιονίδης ἀκάκητα Προμηθεὺς
τοῖό γ᾽ ὑπεξήλυξε βαρὺν χόλον, ἀλλ᾽ ὑπ᾽ ἀνάγκης 615
καὶ πολύιδριν ἐόντα μέγας κατὰ δεσμὸς ἐρύκει.

Ὀβριάρεῳ δ᾽ ὡς πρῶτα πατὴρ ὠδύσσατο θυμῷ
Κόττῳ τ᾽ ἠδὲ Γύγῃ, δῆσε κρατερῷ ἐνὶ δεσμῷ,
ἠνορέην ὑπέροπλον ἀγώμενος ἠδὲ καὶ εἶδος

C'est exactement ainsi que, pour les hommes mortels,
[les femmes sont un mal ; 600
ainsi Zeus qui gronde dans les hauteurs les a faites et
[partout les suivent œuvres
de douleur. Et une seconde fois il a dispensé un mal en
[contrepartie d'un bien,
pour qui, fuyant le mariage et les œuvres de souci des
[femmes,
refuse de se marier et parvient à la vieillesse pernicieuse
sans bâton de vieillesse : s'il ne manque certes pas d'avoir
[de quoi vivre 605
durant sa vie, une fois qu'il est mort, ce qui le faisait
[vivre se trouve partagé
entre parents éloignés. Et, d'un autre côté, qui a pour lot
[le mariage,
s'il a une noble épouse, bien faite pour son cœur,
voit, pour lui, tout au long de son existence, le mal
[balancer le bien
sans trêve ; et celui à qui échoit une descendance malfai-
[sante 610
vit toute sa vie avec, dans sa poitrine, une peine dont ne
[peuvent se défendre
ni son être ni son cœur — et c'est là un mal sans remède.
Ainsi, impossible de tromper à la dérobée l'esprit de Zeus,
[ni même de le tourner.
Car même le fils de Japet, Prométhée le sans-malice[50]
n'a pu échapper au poids de Sa colère, au contraire : il
[plie sous la contrainte ; 615
malgré tout son savoir, un grand lien le retient[51].

Quant à Obriarée, du premier jour où son père[52] le prit
[en haine,
ainsi que Cottos et Gygès, il les lia tous trois d'un lien
[puissant :
c'en était trop, pour lui, de leur courage plus que
[redoutable, de leur aspect

115

620 καὶ μέγεθος· κατένασσε δ' ὑπὸ χθονὸς εὐρυοδείης.
ἔνθ' οἵ γ' ἄλγε' ἔχοντες ὑπὸ χθονὶ ναιετάοντες
εἴατ' ἐπ' ἐσχατιῇ μεγάλης ἐν πείρασι γαίης
δηθὰ μάλ' ἀχνύμενοι, κραδίῃ μέγα πένθος ἔχοντες.
ἀλλά σφεας Κρονίδης τε καὶ ἀθάνατοι θεοὶ ἄλλοι
625 οὓς τέκεν ἠύκομος Ῥείη Κρόνου ἐν φιλότητι
Γαίης φραδμοσύνῃσιν ἀνήγαγον ἐς φάος αὖτις·
αὐτὴ γάρ σφιν ἅπαντα διηνεκέως κατέλεξε,
σὺν κείνοις νίκην τε καὶ ἀγλαὸν εὖχος ἀρέσθαι.
δηρὸν γὰρ μάρναντο πόνον θυμαλγέ' ἔχοντες
631 ἀντίον ἀλλήλοισι διὰ κρατερὰς ὑσμίνας
630 Τιτῆνές τε θεοὶ καὶ ὅσοι Κρόνου ἐξεγένοντο,
632 οἱ μὲν ἀφ' ὑψηλῆς Ὄθρυος Τιτῆνες ἀγαυοί,
οἱ δ' ἄρ' ἀπ' Οὐλύμποιο θεοὶ δωτῆρες ἐάων
οὓς τέκεν ἠύκομος Ῥείη Κρόνῳ εὐνηθεῖσα.
635 οἵ ῥα τότ' ἀλλήλοισι †μάχην θυμαλγέ' ἔχοντες
συνεχέως ἐμάχοντο δέκα πλείους ἐνιαυτούς·
οὐδέ τις ἦν ἔριδος χαλεπῆς λύσις οὐδὲ τελευτὴ

et de leur grande taille — et il les logea sous le sol aux
[vastes routes. 620
C'est là qu'en proie aux souffrances, dans leur habitation
[souterraine,
ils restaient prostrés, au bout du monde, aux confins de la
[grande terre,
depuis longtemps bien affligés, leur cœur en proie à un
[grand deuil.
Mais ceux-là, le fils de Cronos — et l'ensemble des dieux
[immortels
que Rhéiè aux beaux cheveux enfanta de bonne entente
[avec Cronos — 625
les firent remonter à la lumière, sur les sages conseils de
[la Terre.
Car, d'elle-même, elle leur expliqua sur tous les points de
[bout en bout
qu'en s'alliant à eux ils remporteraient la victoire — et
[une splendide raison de se glorifier.
Cela faisait en effet longtemps qu'ils se battaient, en
[proie à ces peines qui font souffrir le cœur, 629
se faisant face au long des puissantes mêlées, 631
les dieux Titans et tous ceux qui naquirent de Cronos, 630
les uns depuis l'Othrys [53] élevé — c'étaient les Titans
[admirables — 632
les autres depuis l'Olympe — c'étaient les dieux donneurs
[de bienfaits,
ceux que Rhéiè aux beaux cheveux enfanta au lit de
[Cronos.
En ce temps-là, les uns contre les autres, en proie à la
[bataille qui fait souffrir le cœur, 635
ils combattaient sans trêve depuis dix années pleines.
Et il n'y avait aucun moyen, dans cette lutte difficile, de
[s'en délivrer ni même d'y mettre fin,

οὐδετέροις, ἶσον δὲ τέλος τέτατο πτολέμοιο.
ἀλλ' ὅτε δὴ κείνοισι παρέσχεθεν ἄρμενα πάντα,
640 νέκταρ τ' ἀμβροσίην τε, τά περ θεοὶ αὐτοὶ ἔδουσι,
πάντων ⟨τ'⟩ ἐν στήθεσσιν ἀέξετο θυμὸς ἀγήνωρ,
[ὡς νέκταρ τ' ἐπάσαντο καὶ ἀμβροσίην ἐρατεινήν,]
δὴ τότε τοῖς μετέειπε πατὴρ ἀνδρῶν τε θεῶν τε·
     "κέκλυτέ μευ Γαίης τε καὶ Οὐρανοῦ ἀγλαὰ τέκνα,
645 ὄφρ' εἴπω τά με θυμὸς ἐνὶ στήθεσσι κελεύει.
ἤδη γὰρ μάλα δηρὸν ἐναντίοι ἀλλήλοισι
νίκης καὶ κάρτευς πέρι μαρνάμεθ' ἤματα πάντα,
Τιτῆνές τε θεοὶ καὶ ὅσοι Κρόνου ἐκγενόμεσθα.
ὑμεῖς δὲ μεγάλην τε βίην καὶ χεῖρας ἀάπτους
650 φαίνετε Τιτήνεσσιν ἐναντίον ἐν δαῖ λυγρῇ,
μνησάμενοι φιλότητος ἐνηέος, ὅσσα παθόντες
ἐς φάος ἂψ ἀφίκεσθε δυσηλεγέος ὑπὸ δεσμοῦ
ἡμετέρας διὰ βουλὰς ὑπὸ ζόφου ἠερόεντος."
     ὣς φάτο· τὸν δ' αἶψ' αὖτις ἀμείβετο Κόττος ἀμύμων·
655 "δαιμόνι', οὐκ ἀδάητα πιφαύσκεαι, ἀλλὰ καὶ αὐτοὶ
ἴδμεν ὅ τοι περὶ μὲν πραπίδες, περὶ δ' ἐστὶ νόημα,

pour aucun des deux camps : la balance était égale, l'issue
[du combat, en suspens.
Mais quand donc, à ceux-là, il eut offert tout ce qui
[convenait
(le nectar et l'ambroisie, choses que les dieux sont seuls à
[consommer) 640
et que tous eurent senti s'accroître dans leur poitrine la
[vaillance de leur cœur,
quand ils furent rassasiés de nectar et de cette ambroisie
[qui inspire l'amour,
alors le père des hommes et des dieux leur dit :
« Écoutez-moi, splendides enfants de la Terre et du Ciel,
afin que je vous dise ce que mon cœur, dans ma poitrine,
[m'invite à faire. 645
Voilà déjà bien longtemps que nous nous faisons face,
que, pour la victoire et le pouvoir, nous combattons tout
[au long des jours,
les dieux Titans et nous tous qui sommes nés de Cronos.
Mais vous, votre violence est grande et vos bras redou-
[tables :
montrez-les au grand jour face aux Titans, dans le combat
[funeste, 650
en gardant en mémoire que bonne entente crée dévoue-
[ment [54] : après tout ce qui vous est arrivé
vous êtes revenus à la lumière, soustraits au lien cruel qui
[vous retenait,
du fait de Nos vouloirs, soustraits aux ténèbres bru-
[meuses. »
Ainsi parlait-il ; et aussitôt Cottos l'irréprochable de lui
[répondre :
« Malheureux ! tu nous éclaires sur des choses que nous
[n'ignorons pas. Nous sommes les premiers 655
à savoir que tu as plus que personne de la tête [55], plus que
[personne du discernement,

ἀλκτὴρ δ' ἀθανάτοισιν ἀρῆς γένεο κρυεροῖο,
σῇσι δ' ἐπιφροσύνῃσιν ὑπὸ ζόφου ἠερόεντος
ἄψορρον ἐξαῦτις ἀμειλίκτων ὑπὸ δεσμῶν
660   ἠλύθομεν, Κρόνου υἱὲ ἄναξ, ἀνάελπτα παθόντες.
τῷ καὶ νῦν ἀτενεῖ τε νόῳ καὶ πρόφρονι θυμῷ
ῥυσόμεθα κράτος ὑμὸν ἐν αἰνῇ δηιοτῆτι,
μαρνάμενοι Τιτῆσιν ἀνὰ κρατερὰς ὑσμίνας."
        ὣς φάτ'· ἐπῄνησαν δὲ θεοὶ δωτῆρες ἐάων
665   μῦθον ἀκούσαντες· πολέμου δ' ἐλιλαίετο θυμὸς
μᾶλλον ἔτ' ἢ τὸ πάροιθε· μάχην δ' ἀμέγαρτον ἔγειραν
πάντες, θήλειαί τε καὶ ἄρσενες, ἤματι κείνῳ,
Τιτῆνές τε θεοὶ καὶ ὅσοι Κρόνου ἐξεγένοντο,
οὕς τε Ζεὺς ἐρέβεσφιν ὑπὸ χθονὸς ἧκε φόωσδε,
670   δεινοί τε κρατεροί τε, βίην ὑπέροπλον ἔχοντες.
τῶν ἑκατὸν μὲν χεῖρες ἀπ' ὤμων ἀίσσοντο
πᾶσιν ὁμῶς, κεφαλαὶ δὲ ἑκάστῳ πεντήκοντα
ἐξ ὤμων ἐπέφυκον ἐπὶ στιβαροῖσι μέλεσσιν.
οἳ τότε Τιτήνεσσι κατέσταθεν ἐν δαῒ λυγρῇ
675   πέτρας ἠλιβάτους στιβαρῇς ἐν χερσὶν ἔχοντες·
Τιτῆνες δ' ἑτέρωθεν ἐκαρτύναντο φάλαγγας
προφρονέως· χειρῶν τε βίης θ' ἅμα ἔργον ἔφαινον

que tu t'es fait, dans ta vaillance, le protecteur des
           [immortels, face au malheur qui glace le cœur,
et que c'est par l'effet de Ta prudente sagesse que,
           [soustraits aux ténèbres brumeuses,
inversant le cours de notre sort, soustraits à nos liens
           [implacables,
nous sommes revenus ici, ô fils de Cronos, notre seigneur,
           [chose que nous n'espérions pas voir arriver.   660
C'est bien pourquoi aujourd'hui, d'un esprit inflexible et
           [de bon cœur,
c'est à votre puissance que nous prêterons main-forte, dans
           [le combat féroce,
en nous battant contre les Titans, au long des puissantes
           [mêlées. »
    Ainsi parlait-il, et les dieux donneurs de bienfaits
           [applaudirent
à entendre ce langage ; tout leur être aspirait au combat   665
plus encore qu'avant — et ce fut une bien triste bataille
           [qu'ils éveillèrent
(tous autant qu'ils étaient, les femelles comme les mâles)
           [ce fameux jour,
les dieux Titans et tous ceux qui naquirent de Cronos,
et avec eux, ceux que Zeus, de l'Érèbe *obscur*, avait
           [ramenés à la lumière,
êtres terribles et puissants, d'une violence plus que redou-
           [table.   670
Ceux-là avaient cent bras qui, de leurs épaules, jaillissaient
(c'était pareil pour tous) et cinquante têtes chacun
poussant, de leurs épaules, sur leurs membres solides.
Ce sont eux qui, ce jour-là, se rangèrent contre les Titans,
           [dans le combat funeste,
serrant de gigantesques rochers dans leurs mains solides.   675
Et les Titans, de l'autre côté, renforçaient leurs phalanges
de bon cœur ; tous montraient ce que pouvaient faire leurs
           [bras et leur violence,

ἀμφότεροι, δεινὸν δὲ περίαχε πόντος ἀπείρων,
γῆ δὲ μέγ' ἐσμαράγησεν, ἐπέστενε δ' οὐρανὸς εὐρὺς
680 σειόμενος, πεδόθεν δὲ τινάσσετο μακρὸς Ὄλυμπος
ῥιπῇ ὕπ' ἀθανάτων, ἔνοσις δ' ἵκανε βαρεῖα
τάρταρον ἠερόεντα ποδῶν, αἰπεῖά τ' ἰωὴ
ἀσπέτου ἰωχμοῖο βολάων τε κρατεράων.
ὣς ἄρ' ἐπ' ἀλλήλοις ἴσαν βέλεα στονόεντα·
685 φωνὴ δ' ἀμφοτέρων ἵκετ' οὐρανὸν ἀστερόεντα
κεκλομένων· οἱ δὲ ξύνισαν μεγάλῳ ἀλαλητῷ.

      οὐδ' ἄρ' ἔτι Ζεὺς ἴσχεν ἑὸν μένος, ἀλλά νυ τοῦ γε
εἶθαρ μὲν μένεος πλῆντο φρένες, ἐκ δέ τε πᾶσαν
φαῖνε βίην· ἄμυδις δ' ἄρ' ἀπ' οὐρανοῦ ἠδ' ἀπ' Ὀλύμπου
690 ἀστράπτων ἔστειχε συνωχαδόν, οἱ δὲ κεραυνοὶ
ἴκταρ ἅμα βροντῇ τε καὶ ἀστεροπῇ ποτέοντο
χειρὸς ἄπο στιβαρῆς, ἱερὴν φλόγα εἰλυφόωντες,
ταρφέες· ἀμφὶ δὲ γαῖα φερέσβιος ἐσμαράγιζε
καιομένη, λάκε δ' ἀμφὶ περὶ μεγάλ' ἄσπετος ὕλη·
695 ἔζεε δὲ χθὼν πᾶσα καὶ Ὠκεανοῖο ῥέεθρα
πόντός τ' ἀτρύγετος· τοὺς δ' ἄμφεπε θερμὸς ἀυτμὴ
Τιτῆνας χθονίους, φλὸξ δ' αἰθέρα δῖαν ἵκανεν

dans les deux camps — et, à l'entour, le flot marin sans
        [bornes lançait des cris terribles ;
au fort grondement de la terre répondait le gémissement
        [du vaste ciel
ébranlé ; sur sa base, l'Olympe élevé tremblait   680
sous la ruée des immortels — et la trépidation se propageait,
        [insupportable,
de leurs pieds jusqu'au Tartare brumeux, mêlée à la
        [clameur profonde
de l'attaque immense et des puissants jets de projectiles.
Tels étaient leurs échanges de projectiles gémissants.
Et la voix des deux camps montait jusqu'au ciel étoilé,   685
dans les appels qu'ils se lançaient : ils se heurtaient avec
        [de grands cris de guerre.
    Et alors ce n'était pas Zeus qui retenait encore son
        [ardeur ! Lui,
d'un seul coup, sentait l'ardeur emplir ses entrailles ; toute
        [l'étendue
de sa violence, il la montrait au grand jour. C'était tout à
        [la fois du ciel et de l'Olympe
qu'il lançait ses éclairs, dans sa marche ; les traits de
        [foudre, 690
droit au but, mêlés au tonnerre et à l'éclair, s'envolaient
de sa main solide, faisant tourbillonner la flamme sacrée,
ils volaient dru — et, à l'entour, la terre porteuse de vie
        [grondait,
incendiée ; tout à l'entour hurlait la grande voix de la
        [forêt immense.
Le sol bouillonnait sur toute son étendue, tout comme les
        [eaux du Fleuve-Océan 695
et le flot marin stérile. Quant aux autres... ! un souffle
        [brûlant enveloppait
les Titans souterrains ; la flamme montait jusqu'à l'éther
        [divin,

123

ἄσπετος, ὄσσε δ’ ἄμερδε καὶ ἰφθίμων περ ἐόντων
αὐγὴ μαρμαίρουσα κεραυνοῦ τε στεροπῆς τε.
700   καῦμα δὲ θεσπέσιον κάτεχεν χάος· εἴσατο δ’ ἄντα
ὀφθαλμοῖσιν ἰδεῖν ἠδ’ οὔασιν ὄσσαν ἀκοῦσαι
αὔτως, ὡς ὅτε γαῖα καὶ οὐρανὸς εὐρὺς ὕπερθε
πίλνατο· τοῖος γάρ κε μέγας ὑπὸ δοῦπος ὀρώρει,
τῆς μὲν ἐρειπομένης, τοῦ δ’ ὑψόθεν ἐξεριπόντος·
705   τόσσος δοῦπος ἔγεντο θεῶν ἔριδι ξυνιόντων.
σὺν δ’ ἄνεμοι ἔνοσίν τε κονίην τ’ ἐσφαράγιζον
βροντήν τε στεροπήν τε καὶ αἰθαλόεντα κεραυνόν,
κῆλα Διὸς μεγάλοιο, φέρον δ’ ἰαχήν τ’ ἐνοπήν τε
ἐς μέσον ἀμφοτέρων· ὄτοβος δ’ ἄπλητος ὀρώρει
710   σμερδαλέης ἔριδος, κάρτευς δ’ ἀνεφαίνετο ἔργον.
ἐκλίνθη δὲ μάχη· πρὶν δ’ ἀλλήλοις ἐπέχοντες
ἐμμενέως ἐμάχοντο διὰ κρατερὰς ὑσμίνας.
οἱ δ’ ἄρ’ ἐνὶ πρώτοισι μάχην δριμεῖαν ἔγειραν,
Κόττος τε Βριάρεώς τε Γύης τ’ ἄατος πολέμοιο·
715   οἵ ῥα τριηκοσίας πέτρας στιβαρέων ἀπὸ χειρῶν
πέμπον ἐπασσυτέρας, κατὰ δ’ ἐσκίασαν βελέεσσι
Τιτῆνας· καὶ τοὺς μὲν ὑπὸ χθονὸς εὐρυοδείης

124

immense, et ils étaient aveuglés, tout forts qu'ils étaient,
par l'éclat étincelant de la foudre et de l'éclair.
Une chaleur prodigieuse régnait dans l'abîme béant ; et
                  [l'on eût cru voir en face,   700
de ses yeux, quelque chose (et en entendre de ses oreilles
                             [le bruit,
pareillement) comme lorsque la Terre et le Ciel tout en
                                 [haut
tentaient leurs approches : telle, en effet, la grandeur du
                       [fracas qui se fût élevé
d'elle, sous l'effondrement, et de lui qui, d'en haut,
                            [s'effondrait.
C'est un fracas tout aussi grand que firent naître les dieux
                [en se heurtant dans la lutte.   705
Et en même temps les vents faisaient enfler, siffler, la
               [trépidation et la poussière,
le tonnerre, l'éclair et la foudre brûlante
— ces armes de jet du grand Zeus. Ils portaient clameurs
                              [et appels
au milieu des deux camps et un vacarme inimaginable
                              [s'élevait
de cette lutte épouvantable : on voyait au grand jour ce
                [que peut faire la puissance.   710
    Alors, dans la bataille, la balance pencha. Jusque-là,
                  [dans leurs assauts mutuels,
ils combattaient sans trêve, au long des puissantes mêlées.
Mais les autres, postés au premier rang, réveillèrent l'âpreté
                          [de la bataille :
Cottos, Briarée et Gygès insatiable de combat.
Eux, c'étaient trois cents rochers que, de leurs bras solides,   715
ils envoyaient coup sur coup — et l'ombre de leurs
                        [projectiles recouvrit
les Titans. Et ainsi, ceux-là, c'est sous le sol aux vastes
                              [routes

πέμψαν καὶ δεσμοῖσιν ἐν ἀργαλέοισιν ἔδησαν,
νικήσαντες χερσὶν ὑπερθύμους περ ἐόντας,
720 τόσσον ἔνερθ' ὑπὸ γῆς ὅσον οὐρανός ἐστ' ἀπὸ γαίης·
τόσσον γάρ τ' ἀπὸ γῆς ἐς τάρταρον ἠερόεντα.
ἐννέα γὰρ νύκτας τε καὶ ἤματα χάλκεος ἄκμων
οὐρανόθεν κατιών, δεκάτῃ κ' ἐς γαῖαν ἵκοιτο·
723a [ἶσον δ' αὖτ' ἀπὸ γῆς ἐς τάρταρον ἠερόεντα·]
ἐννέα δ' αὖ νύκτας τε καὶ ἤματα χάλκεος ἄκμων
725 ἐκ γαίης κατιών, δεκάτῃ κ' ἐς τάρταρον ἵκοι.
τὸν πέρι χάλκεον ἕρκος ἐλήλαται· ἀμφὶ δέ μιν νὺξ
τριστοιχὶ κέχυται περὶ δειρήν· αὐτὰρ ὕπερθε
γῆς ῥίζαι πεφύασι καὶ ἀτρυγέτοιο θαλάσσης.
ἔνθα θεοὶ Τιτῆνες ὑπὸ ζόφῳ ἠερόεντι
730 κεκρύφαται βουλῇσι Διὸς νεφεληγερέταο,
χώρῳ ἐν εὐρώεντι, πελώρης ἔσχατα γαίης.
τοῖς οὐκ ἐξιτόν ἐστι, θύρας δ' ἐπέθηκε Ποσειδέων
χαλκείας, τεῖχος δ' ἐπελήλαται ἀμφοτέρωθεν.
[ἔνθα Γύγης Κόττος τε καὶ Ὀβριάρεως μεγάθυμος
735 ναίουσιν, φύλακες πιστοὶ Διὸς αἰγιόχοιο.
ἔνθα δὲ γῆς δνοφερῆς καὶ ταρτάρου ἠερόεντος

qu'ils les envoyèrent (et ils les lièrent aussi de liens
[douloureux,
après les avoir vaincus de leurs bras, malgré leur fougue
[plus que grande) :
aussi loin à l'intérieur, sous la terre, que le ciel est loin de
[la terre.   720
Car il y a tout aussi loin de la Terre au Tartare brumeux.
Il faudrait en effet neuf nuits et neuf jours à une enclume
[de bronze
descendant du ciel pour arriver, la dixième nuit, à la terre ;
et il y a encore une distance égale de la Terre au Tartare
[brumeux.   723a
Il faudrait derechef neuf nuits et neuf jours à l'enclume
[de bronze
descendant de la terre pour arriver, la dixième nuit, au
[Tartare.   725
    Autour de ce dernier court une enceinte de bronze ; des
[deux côtés, la nuit,
en triple couche répandue, en enserre le goulot ; et tout
[en haut
poussent les racines de la terre et de la mer stérile.
C'est là que sont les dieux Titans, au fond des ténèbres
[brumeuses,
ils sont tenus cachés — selon les vouloirs de Zeus
[rassembleur de nuages —   730
dans ce lieu de moisissure, aux confins de l'énorme Terre.
Ils n'en peuvent sortir : les portes qu' y a mises Poséidon
sont de bronze et, en outre, un rempart court de part et
[d'autre.
    C'est là que Gygès, Cottos et Obriarée au grand cœur
habitent, sûrs gardiens de Zeus porte-égide.   735
    C'est là que, de la terre ténébreuse comme du Tartare
[brumeux,

127

πόντου τ' ἀτρυγέτοιο καὶ οὐρανοῦ ἀστερόεντος
ἑξείης πάντων πηγαὶ καὶ πείρατ' ἔασιν,
ἀργαλέ' εὐρώεντα, τά τε στυγέουσι θεοί περ·
740   χάσμα μέγ', οὐδέ κε πάντα τελεσφόρον εἰς ἐνιαυτὸν
οὖδας ἵκοιτ', εἰ πρῶτα πυλέων ἔντοσθε γένοιτο,
ἀλλά κεν ἔνθα καὶ ἔνθα φέροι πρὸ θύελλα θυέλλης
ἀργαλέη· δεινὸν δὲ καὶ ἀθανάτοισι θεοῖσι.]
[τοῦτο τέρας· καὶ Νυκτὸς ἐρεμνῆς οἰκία δεινὰ
745   ἕστηκεν νεφέλης κεκαλυμμένα κυανέῃσι.]
     τῶν πρόσθ' Ἰαπετοῖο πάις ἔχει οὐρανὸν εὐρὺν
ἑστηὼς κεφαλῇ τε καὶ ἀκαμάτῃσι χέρεσσιν
ἀστεμφέως, ὅθι Νύξ τε καὶ Ἡμέρη ἆσσον ἰοῦσαι
ἀλλήλας προσέειπον ἀμειβόμεναι μέγαν οὐδὸν
750   χάλκεον· ἡ μὲν ἔσω καταβήσεται, ἡ δὲ θύραζε
ἔρχεται, οὐδέ ποτ' ἀμφοτέρας δόμος ἐντὸς ἐέργει,
ἀλλ' αἰεὶ ἑτέρη γε δόμων ἔκτοσθεν ἐοῦσα
γαῖαν ἐπιστρέφεται, ἡ δ' αὖ δόμου ἐντὸς ἐοῦσα
μίμνει τὴν αὐτῆς ὥρην ὁδοῦ, ἔστ' ἂν ἵκηται·
755   ἡ μὲν ἐπιχθονίοισι φάος πολυδερκὲς ἔχουσα,
ἡ δ' Ὕπνον μετὰ χερσί, κασίγνητον Θανάτοιο,
Νὺξ ὀλοή, νεφέλῃ κεκαλυμμένη ἠεροειδεῖ.

du flot marin stérile comme du ciel étoilé,
de toutes choses, côte à côte, sont les sources et les confins,
— lieux de douleur, de moisissure, dont les dieux même
[ont horreur.
    Le gouffre béant est grand ; même en toute une année
[menant son cours à terme,   740
on ne saurait en atteindre le seuil, si d'abord on était à
[l'intérieur des portes,
non : on se trouverait emporté çà et là par rafale sur rafale
d'un vent de douleur — sort terrible, même pour les dieux
[immortels.
Cela, c'est un prodige. La Nuit obscure aussi a de terribles
[logis :
ils se dressent enveloppés de nuées d'un bleu sombre.   745
    En face d'eux, le fils de Japet soutient le vaste ciel,
debout, de sa tête et de ses bras infatigables,
inébranlablement — en ce lieu où la Nuit et la Journée,
[en venant à la rencontre
l'une de l'autre, se saluent, au moment d'échanger leurs
[places, sur le grand seuil
de bronze : l'une descendra toujours à l'intérieur quand
[l'autre, vers la porte,   750
s'en vient, et jamais leur demeure ne les renferme toutes
[deux dans son enceinte,
mais chaque fois l'une des deux, si elle est hors de leur
[demeure,
parcourt la terre (tandis que l'autre — qui, de son côté, se
[trouve à l'intérieur de la demeure —
y reste pendant le temps de son voyage à elle, jusqu'à ce
[qu'elle revienne),
l'une portant, pour les êtres de la terre, la lumière qui voit
[tant de choses,   755
l'autre avec dans ses bras le Sommeil, frère du Trépas :
c'est la Nuit pernicieuse, enveloppée d'une nuée de brume.

ἔνθα δὲ Νυκτὸς παῖδες ἐρεμνῆς οἰκί' ἔχουσιν,
Ὕπνος καὶ Θάνατος, δεινοὶ θεοί· οὐδέ ποτ' αὐτοὺς
760   Ἥλιος φαέθων ἐπιδέρκεται ἀκτίνεσσιν
οὐρανὸν εἰσανιὼν οὐδ' οὐρανόθεν καταβαίνων.
τῶν ἕτερος μὲν γῆν τε καὶ εὐρέα νῶτα θαλάσσης
ἥσυχος ἀνστρέφεται καὶ μείλιχος ἀνθρώποισι,
τοῦ δὲ σιδηρέη μὲν κραδίη, χάλκεον δέ οἱ ἦτορ
765   νηλεὲς ἐν στήθεσσιν· ἔχει δ' ὃν πρῶτα λάβῃσιν
ἀνθρώπων· ἐχθρὸς δὲ καὶ ἀθανάτοισι θεοῖσιν.
ἔνθα θεοῦ χθονίου πρόσθεν δόμοι ἠχήεντες
[ἰφθίμου τ' Ἀίδεω καὶ ἐπαινῆς Περσεφονείης]
ἑστᾶσιν, δεινὸς δὲ κύων προπάροιθε φυλάσσει,
770   νηλειής, τέχνην δὲ κακὴν ἔχει· ἐς μὲν ἰόντας
σαίνει ὁμῶς οὐρῇ τε καὶ οὔασιν ἀμφοτέροισιν,
ἐξελθεῖν δ' οὐκ αὖτις ἐᾷ πάλιν, ἀλλὰ δοκεύων
ἐσθίει, ὅν κε λάβῃσι πυλέων ἔκτοσθεν ἰόντα.
[ἰφθίμου τ' Ἀίδεω καὶ ἐπαινῆς Περσεφονείης.]
775   ἔνθα δὲ ναιετάει στυγερὴ θεὸς ἀθανάτοισι,
δεινὴ Στύξ, θυγάτηρ ἀψορρόου Ὠκεανοῖο
πρεσβυτάτη· νόσφιν δὲ θεῶν κλυτὰ δώματα ναίει
μακρῇσιν πέτρῃσι κατηρεφέ'· ἀμφὶ δὲ πάντῃ

C'est là que les enfants de la Nuit obscure ont leur logis
— Sommeil et Trépas, dieux terribles ; et jamais sur eux
le Soleil brillant ne pose le regard de ses rayons   760
quand il monte dans le ciel (pas davantage quand il descend
    [du ciel).
De ces deux-là, l'un, sur la terre comme sur le vaste dos
    [de la mer,
est paisible, dans ses tours et ses détours, d'une douceur
    [apaisante, pour les humains ;
l'autre a un cœur de fer et une âme de bronze
impitoyable, dans sa poitrine. Il garde tout être dont
    [d'abord il a fait sa proie, 765
tout être humain ; et il est en haine même aux dieux
    [immortels.
C'est là (en face) que, du dieu souterrain, les demeures
    [pleines d'échos
(celles d'Hadès le Fort et de l'affreuse Perséphone)
se dressent — et un chien terrible [56], au-devant, monte la
    [garde,
impitoyable. En savoir-faire mauvais, il est passé maître :
    [à ceux qui entrent, 770
il fait fête de la queue comme des oreilles, des deux façons
    [à la fois,
mais il ne les laisse pas ressortir, rebrousser chemin ; il se
    [tient aux aguets
et mange quiconque il prend à chercher à passer, pour
    [sortir, les portes
(celles d'Hadès le Fort et de l'affreuse Perséphone).
C'est là qu'habite la déesse qui fait horreur aux
    [immortels, 775
la terrible Styx, fille du Fleuve-Océan au cours inverse [57],
sa fille aînée. Elle habite, à l'écart des dieux, ses illustres
    [demeures,
sous le couvert de hauts rochers ; tout à l'entour

κίοσιν ἀργυρέοισι πρὸς οὐρανὸν ἐστήρικται.
780 παῦρα δὲ Θαύμαντος θυγάτηρ πόδας ὠκέα ῞Ιρις
†ἀγγελίη πωλεῖται ἐπ᾽ εὐρέα νῶτα θαλάσσης.
ὁππότ᾽ ἔρις καὶ νεῖκος ἐν ἀθανάτοισιν ὄρηται,
καί ῥ᾽ ὅστις ψεύδηται Ὀλύμπια δώματ᾽ ἐχόντων,
Ζεὺς δέ τε ῏Ιριν ἔπεμψε θεῶν μέγαν ὅρκον ἐνεῖκαι
785 τηλόθεν ἐν χρυσέῃ προχόῳ πολυώνυμον ὕδωρ,
ψυχρόν, ὅ τ᾽ ἐκ πέτρης καταλείβεται ἠλιβάτοιο
ὑψηλῆς· πολλὸν δὲ ὑπὸ χθονὸς εὐρυοδείης
ἐξ ἱεροῦ ποταμοῖο ῥέει διὰ νύκτα μέλαιναν·
Ὠκεανοῖο κέρας, δεκάτη δ᾽ ἐπὶ μοῖρα δέδασται·
790 ἐννέα μὲν περὶ γῆν τε καὶ εὐρέα νῶτα θαλάσσης
δίνῃς ἀργυρέῃς εἰλιγμένος εἰς ἅλα πίπτει,
ἡ δὲ μί᾽ ἐκ πέτρης προρέει, μέγα πῆμα θεοῖσιν.
ὅς κεν τὴν ἐπίορκον ἀπολλείψας ἐπομόσσῃ
ἀθανάτων οἳ ἔχουσι κάρη νιφόεντος Ὀλύμπου,
795 κεῖται νήυτμος τετελεσμένον εἰς ἐνιαυτόν·
οὐδέ ποτ᾽ ἀμβροσίης καὶ νέκταρος ἔρχεται ἆσσον
βρώσιος, ἀλλά τε κεῖται ἀνάπνευστος καὶ ἄναυδος
στρωτοῖς ἐν λεχέεσσι, κακὸν δ᾽ ἐπὶ κῶμα καλύπτει.
αὐτὰρ ἐπὴν νοῦσον τελέσει μέγαν εἰς ἐνιαυτόν,

des colonnes d'argent montent les fixer au ciel.
Il est rare que la fille de Thaumas *le Merveilleux*, Iris *Arc-*
[*en-ciel* aux pieds rapides, 780
y fasse la navette en messagère, sur le vaste dos de la mer.
Mais... chaque fois que lutte et querelle s'élèvent parmi
[les immortels
et pour quiconque ment, parmi ceux qui ont leurs demeures
[sur l'Olympe,
alors Zeus envoie Iris rapporter ce sur quoi les dieux
[prêtent leur grand serment [58],
rapporter de bien loin, dans une aiguière d'or, l'eau tant
[de fois nommée, 785
l'eau glacée qui s'épanche goutte à goutte d'un rocher
[gigantesque,
de tout en haut. Longtemps, sous le sol aux vastes routes,
se détachant du fleuve sacré, elle coule à travers la nuit
[noire ;
c'est un bras du Fleuve-Océan, sa dixième partie :
si, pour neuf parts, entourant la terre et le vaste dos de la
[mer, 790
lové en tourbillons d'argent, il se jette dans l'onde amère,
cette part de son eau, seule, ruisselle du rocher — grand
[fléau pour les dieux.
Quiconque en fait libation et appuie ses dires d'un faux
[serment prêté sur elle,
parmi les immortels maîtres des cimes de l'Olympe neigeux,
gît, privé d'haleine, jusqu'au terme d'une année entière ; 795
jamais il ne s'approche de l'ambroisie ou du nectar
pour s'en nourrir. Non, il reste gisant, privé de souffle,
[de voix,
sur les couvertures de sa couche — un profond sommeil
[mauvais s'étend sur lui et l'enveloppe.
Et quand il a mené sa maladie au terme d'une grande
[année,

800 ἄλλος δ' ἐξ ἄλλου δέχεται χαλεπώτερος ἄθλος·
εἰνάετες δὲ θεῶν ἀπαμείρεται αἰὲν ἐόντων,
οὐδέ ποτ' ἐς βουλὴν ἐπιμίσγεται οὐδ' ἐπὶ δαῖτας
ἐννέα πάντ' ἔτεα· δεκάτῳ δ' ἐπιμίσγεται αὖτις
†εἰρέας ἀθανάτων οἳ Ὀλύμπια δώματ' ἔχουσι.
805 τοῖον ἄρ' ὅρκον ἔθεντο θεοὶ Στυγὸς ἄφθιτον ὕδωρ,
ὠγύγιον· τὸ δ' ἵησι καταστυφέλου διὰ χώρου.

   ἔνθα δὲ γῆς δνοφερῆς καὶ ταρτάρου ἠερόεντος
πόντου τ' ἀτρυγέτοιο καὶ οὐρανοῦ ἀστερόεντος
ἑξείης πάντων πηγαὶ καὶ πείρατ' ἔασιν,
810 ἀργαλέ' εὐρώεντα, τά τε στυγέουσι θεοί περ.
ἔνθα δὲ μαρμάρεαί τε πύλαι καὶ χάλκεος οὐδός,
ἀστεμφὲς ῥίζῃσι διηνεκέεσσιν ἀρηρώς,
αὐτοφυής· πρόσθεν δὲ θεῶν ἔκτοσθεν ἁπάντων
Τιτῆνες ναίουσι, πέρην χάεος ζοφεροῖο.
815 αὐτὰρ ἐρισμαράγοιο Διὸς κλειτοὶ ἐπίκουροι
δώματα ναιετάουσιν ἐπ' Ὠκεανοῖο θεμέθλοις,
Κόττος τ' ἠδὲ Γύγης· Βριάρεων γε μὲν ἠὺν ἐόντα
γαμβρὸν ἑὸν ποίησε βαρύκτυπος Ἐννοσίγαιος,
δῶκε δὲ Κυμοπόλειαν ὀπυίειν, θυγατέρα ἥν.
820   αὐτὰρ ἐπεὶ Τιτῆνας ἀπ' οὐρανοῦ ἐξέλασε Ζεύς,
ὁπλότατον τέκε παῖδα Τυφωέα Γαῖα πελώρη
Ταρτάρου ἐν φιλότητι διὰ χρυσῆν Ἀφροδίτην·

épreuve sur épreuve — toujours nouvelles et plus pénibles
[— se succèdent. 800
Pendant neuf ans, il ne partage plus la compagnie des
[dieux éternels
et jamais ne se mêle à leur Conseil ni même à leurs festins
— pendant, en tout, neuf ans : le dixième, il se mêle à
[nouveau
aux réunions des immortels qui ont demeures sur l'Olympe.
Voilà quel gage de leur serment les dieux ont fait de l'eau
[impérissable de Styx, 805
de temps immémorial ; et cette eau-là traverse en jaillissant
[un lieu plein de rudesse.
C'est là que, de la terre ténébreuse comme du Tartare
[brumeux,
du flot marin stérile comme du ciel étoilé,
de toutes choses, côte à côte, sont les sources et les confins
— lieux de douleur, de moisissure, dont les dieux même
[ont horreur. 810
Là sont les portes étincelantes et le seuil de bronze
inébranlablement maintenu en place par ses racines vivaces,
puisqu'il pousse de lui-même. Et en face, à l'extérieur du
[monde des dieux, loin de tous,
habitent les Titans : au-delà des ténèbres de l'abîme béant.
Quant aux illustres auxiliaires de Zeus aux grondements
[puissants, 815
ils habitent des demeures aux fondations mêmes du Fleuve-
[Océan
— Cottos et Gygès : de Briarée, en raison de sa bravoure,
l'Ébranleur de la Terre au lourd fracas a fait son gendre ;
il lui a donné à épouser Cymopolée *Hante-Vague*, sa fille.
Mais quand Zeus eut chassé du ciel les Titans, 820
pour ultime fils, bon cadet, c'est Typhon que l'énorme
[Terre enfanta
de son union de bonne entente avec le Tartare, par la
[grâce de l'Aphrodite d'or.

οὗ χεῖρες †μὲν ἔασιν ἐπ' ἰσχύι ἔργματ' ἔχουσαι,†
καὶ πόδες ἀκάματοι κρατεροῦ θεοῦ· ἐκ δέ οἱ ὤμων
825 ἦν ἑκατὸν κεφαλαὶ ὄφιος δεινοῖο δράκοντος,
γλώσσῃσι δνοφερῇσι λελιχμότες· ἐν δέ οἱ ὄσσε
θεσπεσίης κεφαλῇσιν ὑπ' ὀφρύσι πῦρ ἀμάρυσσεν·
[πασέων δ' ἐκ κεφαλέων πῦρ καίετο δερκομένοιο·]
φωναὶ δ' ἐν πάσῃσιν ἔσαν δεινῆς κεφαλῇσι,
830 παντοίην ὄπ' ἰεῖσαι ἀθέσφατον· ἄλλοτε μὲν γὰρ
φθέγγονθ' ὥς τε θεοῖσι συνιέμεν, ἄλλοτε δ' αὖτε
ταύρου ἐριβρύχεω μένος ἀσχέτου ὄσσαν ἀγαύρου,
ἄλλοτε δ' αὖτε λέοντος ἀναιδέα θυμὸν ἔχοντος,
ἄλλοτε δ' αὖ σκυλάκεσσιν ἐοικότα, θαύματ' ἀκοῦσαι,
835 ἄλλοτε δ' αὖ ῥοίζεσχ', ὑπὸ δ' ἤχεεν οὔρεα μακρά.
καί νύ κεν ἔπλετο ἔργον ἀμήχανον ἤματι κείνῳ,
καί κεν ὅ γε θνητοῖσι καὶ ἀθανάτοισιν ἄναξεν,
εἰ μὴ ἄρ' ὀξὺ νόησε πατὴρ ἀνδρῶν τε θεῶν τε·
σκληρὸν δ' ἐβρόντησε καὶ ὄβριμον, ἀμφὶ δὲ γαῖα
840 σμερδαλέον κονάβησε καὶ οὐρανὸς εὐρὺς ὕπερθε
πόντός τ' Ὠκεανοῦ τε ῥοαὶ καὶ τάρταρα γαίης.

Celui-là avait des bras qui joignaient, à la vigueur, les
[œuvres
et des pieds infatigables : c'était un dieu puissant. De ses
[épaules
sortaient cent têtes de serpent, de dragon terrible,   825
dardant des langues de ténèbres ; les yeux que portaient
ses têtes prodigieuses, sous leurs sourcils, étincelaient de
[feu.
Jaillissant de toutes ces têtes, le feu flambait à chacun de
[ses regards.
Et toutes ces têtes terribles étaient pleines de voix
qui s'élevaient de toutes sortes de façons, de manière
[indicible ; car tantôt 830
elles émettaient des sons comme pour parler aux dieux,
[des sons intelligibles, et tantôt, encore,
c'étaient ceux du taureau mugissant, à l'ardeur irrésistible,
[à la voix altière,
tantôt encore ceux du lion au cœur sans vergogne ;
tantôt, aussi, on eût dit des petits chiens — une merveille
[à entendre !
Tantôt, aussi, il n'était que sifflements — et les hautes
[montagnes résonnaient en écho. 835
Et alors il se fût accompli une œuvre contre quoi on
[n'eût rien pu, ce fameux jour,
et c'est lui qui, sur les mortels comme sur les immortels,
[fût devenu maître et seigneur,
n'était l'esprit perçant du père des hommes et des dieux
[qui l'aperçut.
Il tonna sec et fort — et, à l'entour, la terre
retentit d'un fracas épouvantable, comme aussi le vaste
[ciel, tout en haut, 840
le flot marin, les eaux du Fleuve-Océan et les profondeurs
[tartaréennes de la terre.

ποσσὶ δ' ὗπ' ἀθανάτοισι μέγας πελεμίζετ' Ὄλυμπος
ὀρνυμένοιο ἄνακτος· ἐπεστονάχιζε δὲ γαῖα.
καῦμα δ' ὗπ' ἀμφοτέρων κάτεχεν ἰοειδέα πόντον
845 βροντῆς τε στεροπῆς τε πυρός τ' ἀπὸ τοῖο πελώρου
πρηστήρων ἀνέμων τε κεραυνοῦ τε φλεγέθοντος·
ἔζεε δὲ χθὼν πᾶσα καὶ οὐρανὸς ἠδὲ θάλασσα·
θυῖε δ' ἄρ' ἀμφ' ἀκτὰς περί τ' ἀμφί τε κύματα μακρὰ
ῥιπῇ ὗπ' ἀθανάτων, ἔνοσις δ' ἄσβεστος ὀρώρει·
850 τρέε δ' Ἀίδης ἐνέροισι καταφθιμένοισιν ἀνάσσων
Τιτῆνές θ' ὑποταρτάριοι Κρόνον ἀμφὶς ἐόντες
ἀσβέστου κελάδοιο καὶ αἰνῆς δηιοτῆτος.
    Ζεὺς δ' ἐπεὶ οὖν κόρθυνεν ἑὸν μένος, εἵλετο δ' ὅπλα,
βροντήν τε στεροπήν τε καὶ αἰθαλόεντα κεραυνόν,
855 πλῆξεν ἀπ' Οὐλύμποιο ἐπάλμενος· ἀμφὶ δὲ πάσας
ἔπρεσε θεσπεσίας κεφαλὰς δεινοῖο πελώρου.
αὐτὰρ ἐπεὶ δή μιν δάμασε πληγῇσιν ἱμάσσας,
ἤριπε γυιωθείς, στονάχιζε δὲ γαῖα πελώρη·
φλὸξ δὲ κεραυνωθέντος ἀπέσσυτο τοῖο ἄνακτος
860 οὔρεος ἐν βήσσῃσιν †ἀιδνῆς παιπαλοέσσης
πληγέντος, πολλὴ δὲ πελώρη καίετο γαῖα

Sous les pieds immortels, le grand Olympe tremblait,
tandis que ce seigneur s'élançait — et la terre gémissait en
[réponse.
Elle émanait des deux adversaires, la chaleur qui régnait
[sur le flot marin aux teintes de violette :
du tonnerre et de l'éclair comme du feu qui venait du
[monstre énorme, 845
des vents d'incendie comme de la foudre flamboyante.
Le sol bouillonnait sur toute son étendue, tout comme le
[ciel et la mer.
Voici que faisaient rage, gonflées, autour des falaises
[(autour et à l'entour), de hautes vagues,
sous la ruée des immortels — une trépidation s'était élevée,
[inextinguible.
Et il tremblait, Hadès, maître et seigneur des Reclus, des
[défunts 850
— et, comme lui, les Titans sous le Tartare, réunis autour
[de Cronos —
devant l'inextinguible tumulte et la férocité du carnage [59] !
   Mais Zeus, lui — lorsque, donc, il eut rassemblé toute
[sa force ardente et pris ses armes
(le tonnerre, l'éclair et la foudre brûlante) —,
frappa depuis l'Olympe d'où il avait bondi ; et partout à
[l'entour 855
il porta l'incendie aux têtes prodigieuses du terrible monstre
[énorme.
Et quand il l'eut dompté sous le fouet de ses coups,
l'autre s'écroula, atteint dans tous ses membres — aux
[gémissements de l'énorme Terre.
Mais la flamme, du corps foudroyé, rejaillit (c'était un
[maître et seigneur)
dans les ravins de la montagne (la sombre rocailleuse [60]), 860
du corps frappé de coups — et voici que, sur une vaste
[étendue, l'énorme terre brûlait,

αὐτμῇ θεσπεσίῃ, καὶ ἐτήκετο κασσίτερος ὣς
τέχνῃ ὕπ' αἰζηῶν ἐν ἐϋτρήτοις χοάνοισι
θαλφθείς, ἠὲ σίδηρος, ὅ περ κρατερώτατός ἐστιν,
οὔρεος ἐν βήσσῃσι δαμαζόμενος πυρὶ κηλέῳ
τήκεται ἐν χθονὶ δίῃ ὑφ' Ἡφαίστου παλάμῃσιν·
ὣς ἄρα τήκετο γαῖα σέλαϊ πυρὸς αἰθομένοιο.
ῥῖψε δέ μιν θυμῷ ἀκαχὼν ἐς τάρταρον εὐρύν.

ἐκ δὲ Τυφωέος ἔστ' ἀνέμων μένος ὑγρὸν ἀέντων,
νόσφι Νότου Βορέω τε καὶ ἀργεστέω Ζεφύροιο·
οἵ γε μὲν ἐκ θεόφιν γενεήν, θνητοῖς μέγ' ὄνειαρ.
αἱ δ' ἄλλαι μὰψ αὖραι ἐπιπνείουσι θάλασσαν·
αἱ δή τοι πίπτουσαι ἐς ἠεροειδέα πόντον,
πῆμα μέγα θνητοῖσι, κακῇ θυίουσιν ἀέλλῃ·
ἄλλοτε δ' ἄλλαι ἄεισι διασκιδνᾶσί τε νῆας
ναύτας τε φθείρουσι· κακοῦ δ' οὐ γίνεται ἀλκὴ
ἀνδράσιν, οἳ κείνῃσι συνάντωνται κατὰ πόντον.
αἱ δ' αὖ καὶ κατὰ γαῖαν ἀπείριτον ἀνθεμόεσσαν
ἔργ' ἐρατὰ φθείρουσι χαμαιγενέων ἀνθρώπων,
πιμπλεῖσαι κόνιός τε καὶ ἀργαλέου κολοσυρτοῦ.

au souffle prodigieux de l'incendie : elle fondait, même,
[comme l'étain,
quand, avec savoir-faire, de robustes gaillards, dans les
[creusets habilement percés,
le font chauffer, ou comme le fer — ce qu'il y a de plus
[puissant au monde ! —
dans les ravins de la montagne, dompté par le feu brûlant,   865
fond au creux du sol divin, quand Hèphaïstos s'y applique
[de main experte.
Ainsi fondait la terre, dans l'éclat du feu flamboyant.
L'autre, il le jeta, le cœur affligé, dans le vaste Tartare.
   C'est de Typhon que vient la force des vents au souffle
[humide,
excepté le Notos, le Borée et le Zéphyr qui blanchit le
[ciel :   870
ceux-là sont de lignée divine — grand avantage pour les
[mortels.
Mais tous les autres sont autant de vaines bises qui
[soufflent sur la mer.
Celles-là, quand elles s'abattent sur le flot marin brumeux
— grand fléau pour les mortels — font rage et se gonflent
[en mauvaise tempête.
Autre temps, autre souffle, avec elles : elles démembrent
[les navires,   875
elles sont la perte des matelots ; contre le malheur, il n'est
[pas de défense
pour les hommes, si ce sont elles qu'ils rencontrent sur le
[flot marin.
Et ce sont elles encore qui, sur la terre aussi — la terre
[infinie, la terre fleurie —
sont la perte des travaux où les humains nés de la terre
[mettent tout leur amour :
elles les remplissent de poussière et — douleur ! — de
[tohu-bohu.   880

αὐτὰρ ἐπεί ῥα πόνον μάκαρες θεοὶ ἐξετέλεσσαν,
Τιτήνεσσι δὲ τιμάων κρίναντο βίηφι,
δή ῥα τότ' ὤτρυνον βασιλευέμεν ἠδὲ ἀνάσσειν
Γαίης φραδμοσύνῃσιν 'Ολύμπιον εὐρύοπα Ζῆν
885 ἀθανάτων· ὁ δὲ τοῖσιν ἐὺ διεδάσσατο τιμάς.

Ζεὺς δὲ θεῶν βασιλεὺς πρώτην ἄλοχον θέτο Μῆτιν,
πλεῖστα θεῶν εἰδυῖαν ἰδὲ θνητῶν ἀνθρώπων.
ἀλλ' ὅτε δὴ ἄρ' ἔμελλε θεὰν γλαυκῶπιν Ἀθήνην
τέξεσθαι, τότ' ἔπειτα δόλῳ φρένας ἐξαπατήσας
890 αἱμυλίοισι λόγοισιν ἑὴν ἐσκάτθετο νηδύν,
Γαίης φραδμοσύνῃσι καὶ Οὐρανοῦ ἀστερόεντος·
τὼς γάρ οἱ φρασάτην, ἵνα μὴ βασιληίδα τιμὴν
ἄλλος ἔχοι Διὸς ἀντὶ θεῶν αἰειγενετάων.
ἐκ γὰρ τῆς εἵμαρτο περίφρονα τέκνα γενέσθαι·
895 πρώτην μὲν κούρην γλαυκώπιδα Τριτογένειαν,
ἶσον ἔχουσαν πατρὶ μένος καὶ ἐπίφρονα βουλήν,
αὐτὰρ ἔπειτ' ἄρα παῖδα θεῶν βασιλῆα καὶ ἀνδρῶν
ἤμελλεν τέξεσθαι, ὑπέρβιον ἦτορ ἔχοντα·
ἀλλ' ἄρα μιν Ζεὺς πρόσθεν ἑὴν ἐσκάτθετο νηδύν,

Mais quand les dieux bienheureux eurent achevé leur
[temps de peine
et tranché par la force, face aux Titans, le litige des
[honneurs revenant à chacun,
voilà qu'ils pressaient d'être roi, maître et seigneur des
[immortels,
(sur les sages conseils de la Terre) l'Olympien, Zeus au
[vaste regard,
C'est lui qui répartit entre eux de bonne façon les honneurs
[revenant à chacun.   885
     Et Zeus, roi des dieux, prit pour première épouse Mètis
[*l'Idée* ;
elle en savait plus long que tous, dieux et humains mortels.
Mais au moment où elle allait lui donner la déesse aux
[yeux clairs, Athènè,
pour enfant, à ce moment précis, dupant à force de ruse
[sa sagesse
avec des paroles enjôleuses, il la mit en sûreté au fond de
[ses entrailles,   890
sur les sages conseils de la Terre et du Ciel étoilé.
C'était le moyen que tous deux lui avaient indiqué pour
[éviter que les honneurs royaux
fussent à un autre — au lieu d'appartenir à Zeus — parmi
[les dieux éternels.
Car de cette déesse devaient fatalement naître des enfants
[pleins de sagesse :
en premier lieu une fille, Tritogénie aux yeux clairs,   895
l'égale de son père en force ardente et en sage vouloir ;
mais ensuite, voyez-vous, c'était un fils roi des dieux et
[des hommes
qu'elle allait enfanter, un fils au cœur plus que violent.
Il n'en fut rien : avant, Zeus la mit en sûreté au fond de
[ses entrailles,

900 ὣς οἱ συμφράσσαιτο θεὰ ἀγαθόν τε κακόν τε.

δεύτερον ἠγάγετο λιπαρὴν Θέμιν, ἣ τέκεν Ὥρας,
Εὐνομίην τε Δίκην τε καὶ Εἰρήνην τεθαλυῖαν,
αἵ τ' ἔργ' ὠρεύουσι καταθνητοῖσι βροτοῖσι,
Μοίρας θ', ἧς πλείστην τιμὴν πόρε μητίετα Ζεύς,
905 Κλωθώ τε Λάχεσίν τε καὶ Ἄτροπον, αἵ τε διδοῦσι
θνητοῖς ἀνθρώποισιν ἔχειν ἀγαθόν τε κακόν τε.

τρεῖς δέ οἱ Εὐρυνόμη Χάριτας τέκε καλλιπαρήους,
Ὠκεανοῦ κούρη πολυήρατον εἶδος ἔχουσα,
Ἀγλαΐην τε καὶ Εὐφροσύνην Θαλίην τ' ἐρατεινήν·
910 τῶν καὶ ἀπὸ βλεφάρων ἔρος εἴβετο δερκομενάων
λυσιμελής· καλὸν δέ θ' ὑπ' ὀφρύσι δερκιόωνται.

αὐτὰρ ὁ Δήμητρος πολυφόρβης ἐς λέχος ἦλθεν·
ἣ τέκε Περσεφόνην λευκώλενον, ἣν Ἀιδωνεὺς
ἥρπασεν ἧς παρὰ μητρός, ἔδωκε δὲ μητίετα Ζεύς.

915 Μνημοσύνης δ' ἐξαῦτις ἐράσσατο καλλικόμοιο,
ἐξ ἧς οἱ Μοῦσαι χρυσάμπυκες ἐξεγένοντο
ἐννέα, τῇσιν ἅδον θαλίαι καὶ τέρψις ἀοιδῆς.

Λητὼ δ' Ἀπόλλωνα καὶ Ἄρτεμιν ἰοχέαιραν
ἱμερόεντα γόνον περὶ πάντων Οὐρανιώνων
920 γείνατ' ἄρ' αἰγιόχοιο Διὸς φιλότητι μιγεῖσα.

144

afin que la déesse l'aidât de ses conseils à discerner le bien
[comme le mal. 900
En second lieu, il emmena dans sa demeure la brillante
[Thémis *Juste-Coutume*, qui enfanta les Heures
— Eunomie *Discipline*, Dikè *Justice* et Eirènè, la florissante
[*Paix*,
qui à toute heure[61] prennent soin, pour les humains
[mortels, des travaux à faire —
et, avec elles, les Moires, les *Destinées*, à qui Zeus maître
[de l'Idée a dispensé le plus d'honneurs
— Clothô *Fileuse*, Lachèsis *Tire-au-Sort* et l'*Inflexible*
[Atropos, qui donnent 905
aux humains mortels d'avoir le bien comme le mal.
Ce furent encore trois Grâces aux belles joues que lui
[enfanta Eurynomè *des Vastes-Espaces*,
la fille d'Océan, beauté tant aimée :
Aglaïè *la Splendeur*, Euphrosyne *Belle-Humeur* et Thalie
[*des Fêtes* qui inspire l'amour ;
même de leurs paupières l'amour se répandait à chacun de
[leurs regards 910
(l'amour qui rompt les membres), tant leur regard est
[beau, sous leurs sourcils.
Puis il entra au lit de Dèmèter la nourricière ;
elle enfanta Perséphone aux bras blancs qu'Aidôneus
enleva d'auprès de sa mère — et se vit remettre en don
[par Zeus maître de l'idée.
C'est de *Mémoire* ensuite qu'il s'énamoura, de
[Mnèmosyne aux beaux cheveux, 915
dont lui naquirent les Muses au diadème d'or,
neuf qui se plaisent aux fêtes et aux délices du chant.
Quant à Lètô, c'est Apollon et Artémis l'Archère
— postérité désirable, plus encore que tous les descendants
[du Ciel —
qu'elle mit au monde de son union de bonne entente avec
[Zeus porte-égide. 920

145

λοισθοτάτην δ' Ἥρην θαλερὴν ποιήσατ' ἄκοιτιν·
ἡ δ' Ἥβην καὶ Ἄρηα καὶ Εἰλείθυιαν ἔτικτε
μιχθεῖσ' ἐν φιλότητι θεῶν βασιλῆι καὶ ἀνδρῶν.

αὐτὸς δ' ἐκ κεφαλῆς γλαυκώπιδα γείνατ' Ἀθήνην,
925   δεινὴν ἐγρεκύδοιμον ἀγέστρατον ἀτρυτώνην,
πότνιαν, ἧ κέλαδοί τε ἄδον πόλεμοί τε μάχαι τε·
Ἥρη δ' Ἥφαιστον κλυτὸν οὐ φιλότητι μιγεῖσα
γείνατο, καὶ ζαμένησε καὶ ἤρισεν ᾧ παρακοίτῃ,
ἐκ πάντων τέχνῃσι κεκασμένον Οὐρανιώνων.

930   ἐκ δ' Ἀμφιτρίτης καὶ ἐρικτύπου Ἐννοσιγαίου
Τρίτων εὐρυβίης γένετο μέγας, ὅς τε θαλάσσης
πυθμέν' ἔχων παρὰ μητρὶ φίλῃ καὶ πατρὶ ἄνακτι
ναίει χρύσεα δῶ, δεινὸς θεός. αὐτὰρ Ἄρηι
ῥινοτόρῳ Κυθέρεια Φόβον καὶ Δεῖμον ἔτικτε,
935   δεινούς, οἵ τ' ἀνδρῶν πυκινὰς κλονέουσι φάλαγγας
ἐν πολέμῳ κρυόεντι σὺν Ἄρηι πτολιπόρθῳ,
Ἁρμονίην θ', ἣν Κάδμος ὑπέρθυμος θέτ' ἄκοιτιν.

Ζηνὶ δ' ἄρ' Ἀτλαντὶς Μαίη τέκε κύδιμον Ἑρμῆν,
κήρυκ' ἀθανάτων, ἱερὸν λέχος εἰσαναβᾶσα.
940   Καδμηὶς δ' ἄρα οἱ Σεμέλη τέκε φαίδιμον υἱὸν

146

Et, pour ultime épouse florissante, il prit Hèrè ;
elle enfantait Hèbè *la Jeunesse*, Arès et Ilithye,
de son union de bonne entente avec le roi des dieux et des
                                                    [hommes.
Mais tout seul, de sa tête, il mit au monde Athènè aux
                                                    [yeux clairs,
terrible éveilleuse de vacarme, meneuse d'armée infatigable,   925
souveraine qui se plaît aux tumultes, combats et batailles.
Et pour Hèrè, ce fut l'illustre Hèphaïstos : sans s'unir de
                                [bonne entente avec personne,
elle le mit au monde (elle montra ainsi sa force ardente et
                                    [entra en lutte avec son époux) ;
entre tous il brille par son savoir-faire — entre tous les
                                                    [descendants du Ciel.
D'Amphitrite et du retentissant Ébranleur de la Terre,   930
naquit, dans toute l'étendue de sa violence, le grand Triton
                                                    [qui a la mer
et ses fondements pour domaine et, près de sa mère chérie
                                    [et de son seigneur de père,
habite un palais d'or — dieu terrible. Et à Arès
perce-bouclier, Cythérée enfantait Phobos et Dèïmos,
                                [*Semeur-de-Panique* et *Effroi*,
(dieux terribles qui bousculent les phalanges serrées d'hom-
                                    [mes de guerre,   935
dans le combat qui glace le cœur, avec Arès saccageur de
                                                    [cités)
et aussi Harmonie, dont le fougueux Cadmos fit son
                                                    [épouse.
Mais à Zeus, la fille d'Atlas, Maïè, enfanta Hermès
                                                    [plein de gloire,
héraut des immortels, après être montée dans sa couche
                                                    [sacrée.
La fille de Cadmos, Sémèlè, lui enfanta un fils glorieux,   940

147

μιχθεῖσ' ἐν φιλότητι, Διώνυσον πολυγηθέα,
ἀθάνατον θνητή· νῦν δ' ἀμφότεροι θεοί εἰσιν.

Ἀλκμήνη δ' ἄρ' ἔτικτε βίην Ἡρακληείην
μιχθεῖσ' ἐν φιλότητι Διὸς νεφεληγερέταο.

945   Ἀγλαΐην δ' Ἥφαιστος ἀγακλυτὸς ἀμφιγυήεις
ὁπλοτάτην Χαρίτων θαλερὴν ποιήσατ' ἄκοιτιν.

χρυσοκόμης δὲ Διώνυσος ξανθὴν Ἀριάδνην,
κούρην Μίνωος, θαλερὴν ποιήσατ' ἄκοιτιν·
τὴν δέ οἱ ἀθάνατον καὶ ἀγήρων θῆκε Κρονίων.

950   Ἥβην δ' Ἀλκμήνης καλλισφύρου ἄλκιμος υἱός,
ἲς Ἡρακλῆος, τελέσας στονόεντας ἀέθλους,
παῖδα Διὸς μεγάλοιο καὶ Ἥρης χρυσοπεδίλου,
αἰδοίην θέτ' ἄκοιτιν ἐν Οὐλύμπῳ νιφόεντι·
ὄλβιος, ὃς μέγα ἔργον ἐν ἀθανάτοισιν ἀνύσσας
955   ναίει ἀπήμαντος καὶ ἀγήραος ἤματα πάντα.

Ἠελίῳ δ' ἀκάμαντι τέκε κλυτὸς Ὠκεανίνη
Περσηὶς Κίρκην τε καὶ Αἰήτην βασιλῆα.
Αἰήτης δ' υἱὸς φαεσιμβρότου Ἠελίοιο
κούρην Ὠκεανοῖο τελήεντος ποταμοῖο
960   γῆμε θεῶν βουλῇσιν, Ἰδυῖαν καλλιπάρηον·
ἣ δή οἱ Μήδειαν ἐύσφυρον ἐν φιλότητι
γείναθ' ὑποδμηθεῖσα διὰ χρυσῆν Ἀφροδίτην.

ὑμεῖς μὲν νῦν χαίρετ', Ὀλύμπια δώματ' ἔχοντες,
νῆσοί τ' ἤπειροί τε καὶ ἁλμυρὸς ἔνδοθι πόντος·

de leur union de bonne entente : Dionysos des mille joies
— un immortel, elle, une mortelle ! Et maintenant tous
[deux sont dieux.
Et Alcmène, elle, enfantait Hèraclès le Violent
de son union de bonne entente avec Zeus rassembleur de
[nuages.
D'Aglaïè *la Splendeur*, Hèphaïstos, le très illustre
[Boiteux,   945
(de la cadette des Grâces) fit son épouse florissante.
Dionysos aux cheveux d'or, de la blonde Ariane,
de la fille de Minos, fit son épouse florissante
— et le fils de Cronos la fit immortelle, soustraite à la
[mort et à la vieillesse.
Et c'est d'Hèbè *la Jeunesse* que le vaillant fils d'Alcmène
[aux belles chevilles,   950
qu'Hèraclès le Fort, au terme des épreuves qui le firent
[gémir,
(de l'enfant du grand Zeus et d'Hèrè aux sandales d'or)
fit son épouse vénérée, sur l'Olympe neigeux
— bienheureux qui, sa grande œuvre accomplie, habite
parmi les immortels, soustrait aux fléaux et à la vieillesse
[pour toute la suite des jours.   955
Au Soleil infatigable, l'illustre Océanine
Persèis enfanta Circè *Crécerelle* et le roi Aiètès.
Quant à Aiètès, fils du Soleil lumière des mortels,
c'est la fille d'Océan, le fleuve achevé,
qu'il épousait, selon les vouloirs des dieux : Idye *la Savante*
[aux belles joues.   960
Et celle-ci lui mit au monde Mèdée *Subtils-Desseins* aux
[belles chevilles, dans la bonne entente,
après qu'il l'eut domptée, par la grâce de l'Aphrodite d'or.
Maintenant salut à vous, vous qui avez demeures sur
[l'Olympe,
et vous aussi, îles et terres fermes et flot marin salé qu'elles
[enserrent [62] !

149

965 νῦν δὲ θεάων φῦλον ἀείσατε, ἡδυέπειαι
Μοῦσαι Ὀλυμπιάδες, κοῦραι Διὸς αἰγιόχοιο,
ὅσσαι δὴ θνητοῖσι παρ' ἀνδράσιν εὐνηθεῖσαι
ἀθάναται γείναντο θεοῖς ἐπιείκελα τέκνα.

Δημήτηρ μὲν Πλοῦτον ἐγείνατο δῖα θεάων,
970 Ἰασίῳ ἥρωι μιγεῖσ' ἐρατῇ φιλότητι
νειῷ ἔνι τριπόλῳ, Κρήτης ἐν πίονι δήμῳ,
ἐσθλόν, ὃς εἶσ' ἐπὶ γῆν τε καὶ εὐρέα νῶτα θαλάσσης
πᾶσαν· τῷ δὲ τυχόντι καὶ οὗ κ' ἐς χεῖρας ἵκηται,
τὸν δὴ ἀφνειὸν ἔθηκε, πολὺν δέ οἱ ὤπασεν ὄλβον.

975 Κάδμῳ δ' Ἁρμονίη, θυγάτηρ χρυσῆς Ἀφροδίτης,
Ἰνὼ καὶ Σεμέλην καὶ Ἀγαυὴν καλλιπάρηον
Αὐτονόην θ', ἣν γῆμεν Ἀρισταῖος βαθυχαίτης,
γείνατο καὶ Πολύδωρον ἐυστεφάνῳ ἐνὶ Θήβῃ.

κούρη δ' Ὠκεανοῦ Χρυσάορι καρτεροθύμῳ
980 μιχθεῖσ' ἐν φιλότητι πολυχρύσου Ἀφροδίτης
Καλλιρόη τέκε παῖδα βροτῶν κάρτιστον ἁπάντων,
Γηρυονέα, τὸν κτεῖνε βίη Ἡρακληείη
βοῶν ἕνεκ' εἰλιπόδων ἀμφιρρύτῳ εἰν Ἐρυθείῃ.

Τιθωνῷ δ' Ἠὼς τέκε Μέμνονα χαλκοκορυστήν,
985 Αἰθιόπων βασιλῆα, καὶ Ἠμαθίωνα ἄνακτα.

150

[Maintenant chantez la tribu des déesses — ô Muses aux
                                    [douces paroles, 965
Muses Olympiennes filles de Zeus porte-égide :
toutes celles qui, couchées aux côtés d'hommes mortels,
immortelles, mirent au monde des enfants pareils aux
                                    [dieux.

Dèmèter mit au monde Ploutos *des Richesses* : divine
                                    [entre les déesses,
elle s'était unie, de bonne entente amoureuse, au héros
                                    [Jasion, 970
dans la jachère trois fois retournée, au gras pays de Crète.
Il fait prouesse, en parcourant la terre et le vaste dos de
                                    [la mer,
la terre entière : au premier qu'il rencontre (et tout homme
                                    [aux mains de qui il arrive,
il le rend opulent), il octroie dès lors bonheur à foison.

A Cadmos, Harmonie, fille de l'Aphrodite d'or,   975
mit au monde Inô, Sémélè, Agavè aux belles joues,
Autonoè (qu'épousa Aristée à la crinière profonde)
et Polydôros — dans Thèbes à la belle couronne.

La fille d'Océan, à Chrysaor *Glaive-d'or*, être de puis-
                                    [sance,
(de son union de bonne entente avec lui, par la grâce de
                                    [l'Aphrodite d'or) 980
Callirhoè *Belles-Eaux* enfanta un fils : le plus puissant de
                                    [tous les mortels,
Géryon que tua Hèraclès le Violent,
pour ses bœufs tourne-pieds dans Érythie *la Rouge* battue
                                    [des flots.

A Tithon, l'Aurore enfanta Memnon *Tient-Bon* au
                                    [casque de bronze,
— le roi des Éthiopiens, les *Visages Brûlés* — et le seigneur
                                    [Hèmathion. 985

αὐτάρ τοι Κεφάλῳ φιτύσατο φαίδιμον υἱόν,
ἴφθιμον Φαέθοντα, θεοῖς ἐπιείκελον ἄνδρα·
τόν ῥα νέον τέρεν ἄνθος ἔχοντ᾽ ἐρικυδέος ἥβης
παῖδ᾽ ἀταλὰ φρονέοντα φιλομμειδὴς Ἀφροδίτη
990 ὦρτ᾽ ἀνερειψαμένη, καί μιν ζαθέοις ἐνὶ νηοῖς
νηοπόλον μύχιον ποιήσατο, δαίμονα δῖον.

κούρην δ᾽ Αἰήταο διοτρεφέος βασιλῆος
Αἰσονίδης βουλῇσι θεῶν αἰειγενετάων
ἦγε παρ᾽ Αἰήτεω, τελέσας στονόεντας ἀέθλους,
995 τοὺς πολλοὺς ἐπέτελλε μέγας βασιλεὺς ὑπερήνωρ,
ὑβριστὴς Πελίης καὶ ἀτάσθαλος ὀβριμοεργός·
τοὺς τελέσας ἐς Ἰωλκὸν ἀφίκετο πολλὰ μογήσας
ὠκείης ἐπὶ νηὸς ἄγων ἑλικώπιδα κούρην
Αἰσονίδης, καί μιν θαλερὴν ποιήσατ᾽ ἄκοιτιν.
1000 καί ῥ᾽ ἥ γε δμηθεῖσ᾽ ὑπ᾽ Ἰήσονι ποιμένι λαῶν
Μήδειον τέκε παῖδα, τὸν οὔρεσιν ἔτρεφε Χείρων
Φιλλυρίδης· μεγάλου δὲ Διὸς νόος ἐξετελεῖτο.

αὐτὰρ Νηρῆος κοῦραι ἁλίοιο γέροντος,
ἤτοι μὲν Φῶκον Ψαμάθη τέκε δῖα θεάων
1005 Αἰακοῦ ἐν φιλότητι διὰ χρυσῆν Ἀφροδίτην·
Πηλεῖ δὲ δμηθεῖσα θεὰ Θέτις ἀργυρόπεζα
γείνατ᾽ Ἀχιλλῆα ῥηξήνορα θυμολέοντα.

Puis, à Céphalos, elle donna pour rejeton un fils glorieux,
[*le Brillant* Phaéthon le Fort, homme pareil aux dieux.
Celui-là, tout jeune (il avait encore la tendre fleur de la
[jeunesse tant prisée,
c'était un enfant, le cœur à ses jeux), l'amie des sourires,
[Aphrodite,
le ravit d'un élan — et de lui, dans ses temples consacrés,   990
elle fit son gardien de temple, celui qui se tient au fond,
[un génie divin.
   La fille d'Aïètès, roi nourrisson de Zeus,
c'est le fils d'Éson — selon les vouloirs des dieux
[éternels —
qui l'emmenait d'auprès d'Aïètès, au terme des épreuves
[qui le firent gémir,
ces épreuves que lui imposait à foison un grand roi plus
[que vaillant,   995
l'insolent Pélias, plein de folle présomption, aux œuvres
[brutales.
A leur terme, il revint à Iôlcos après bien des peines,
emmenant sur son vaisseau rapide la jeune fille aux yeux
[vifs,
le fils d'Éson ! Il fit d'elle son épouse florissante.
Et elle, domptée par Jason berger de son peuple,   1000
eut pour fils Mèdéios, celui que, dans les montagnes,
[élevait Chiron
né de Phillyra — et ainsi l'esprit du grand Zeus en venait
[à ses fins.
   Quant aux filles de Nèrée, le Vieillard de la mer,
c'est, en vérité, Psamathè *des Sables*, divine entre les
[déesses, qui enfanta Phocos *le Phoque*,
de bonne entente avec Éaque, par la grâce de l'Aphrodite
[d'or,   1005
et, domptée par Pèlée, la déesse Thétis aux pieds d'argent
qui mit au monde Achille briseur de guerriers, cœur de
[lion.

Αἰνείαν δ' ἄρ' ἔτικτεν ἐυστέφανος Κυθέρεια,
Ἀγχίσῃ ἥρωι μιγεῖσ' ἐρατῇ φιλότητι
1010 Ἴδης ἐν κορυφῆσι πολυπτύχου ἠνεμοέσσης.

Κίρκη δ' Ἠελίου θυγάτηρ Ὑπεριονίδαο
γείνατ' Ὀδυσσῆος ταλασίφρονος ἐν φιλότητι
Ἄγριον ἠδὲ Λατῖνον ἀμύμονά τε κρατερόν τε·
[Τηλέγονον δὲ ἔτικτε διὰ χρυσῆν Ἀφροδίτην·]
1015 οἳ δή τοι μάλα τῆλε μυχῷ νήσων ἱεράων
πᾶσιν Τυρσηνοῖσιν ἀγακλειτοῖσιν ἄνασσον.

Ναυσίθοον δ' Ὀδυσῆι Καλυψὼ δῖα θεάων
γείνατο Ναυσίνοόν τε μιγεῖσ' ἐρατῇ φιλότητι.

αὗται μὲν θνητοῖσι παρ' ἀνδράσιν εὐνηθεῖσαι
1020 ἀθάναται γείναντο θεοῖς ἐπιείκελα τέκνα.
[νῦν δὲ γυναικῶν φῦλον ἀείσατε, ἡδυέπειαι
Μοῦσαι Ὀλυμπιάδες, κοῦραι Διὸς αἰγιόχοιο.]

Énée, lui, c'est Cythérée à la belle couronne qui l'en-
[fantait :
elle s'était unie de bonne entente amoureuse au héros
[Anchise
sur les cimes de l'Ida aux mille replis, battu des vents.   1010

Et Circè, fille du Soleil fils d'Hypérion *Qui-parcourt-*
[*les-Hauteurs*,
mit au monde, de son union de bonne entente avec Ulysse
[l'endurant,
le Sauvage Agrios et Latinos, sans reproche et puissant.
Elle enfantait aussi Tèlégonos *Né-au-Loin*, par la grâce de
[l'Aphrodite d'or.
Ceux-là, bien loin, au fin fond des îles sacrées,   1015
sur tous les Tyrrhéniens glorieux étaient maîtres et
[seigneurs.
Quant à Nausithoos *aux Nefs-Rapides*, à Ulysse, ce fut
[Calypsô *l'Enveloppante*, divine entre les déesses,
qui le mit au monde, ainsi que Nausinoos *Tout-aux-Nefs* ;
[elle s'était unie à lui de bonne entente amoureuse.
Voilà celles qui, couchées aux côtés d'hommes mortels,
immortelles, mirent au monde des enfants pareils aux
[dieux. 1020

Et maintenant chantez la tribu des femmes — ô Muses
aux douces paroles,
Muses Olympiennes, filles de Zeus porte-égide...]

Notes

1. Le mont Hélicon, qui domine, à l'ouest de Thèbes, le village d'Ascra où vivait Hésiode (*Trav.* 639-640), était consacré aux Muses depuis la plus Haute Antiquité (*cf.* Strabon 470-471, Pausanias 9.29-31). Le ruisseau du Permesse, affluent de l'Olmée, traverse le Val des Muses. On attribuait généralement à un coup de sabot de Pégase la naissance de la Fontaine du Cheval, l'Hippocrène, source située à mi-pente de la montagne.

2. Ce vers reprend, à un mot près, le vers de l'*Odyssée* (19.203) qui fait l'éloge du talent de conteur d'Ulysse. Les Muses opposent ainsi (27-28) leur premier hymne aux dieux (11-21), celui qu'elles chantent « dans la nuit », « enveloppées de brume », c'est-à-dire invisibles, à la « parole inspirée » qu'elles soufflent au cœur d'Hésiode : la *Théogonie,* dont leurs chants sur l'Olympe indiquent les grandes lignes (44-52) et l'inspiration centrale (71-74).

3. σχῆπτρον *(skèptron)* désigne à la fois un bâton ordinaire et le bâton de parole que l'on prend en main pour parler à l'assemblée (*Il.* 1.245 ; 2.185-6, 198, etc.), emblème de la puissance héréditaire que les rois tiennent des dieux (*Il.* 2.100-108). Il fait d'Hésiode l'égal des rois, ce que suggère aussi la fin du prélude (94-96). Le laurier, consacré à Apollon, est associé à son oracle ; sa mention ici annonce le lien établi plus loin (94) par Hésiode entre ce dieu et les Muses.

4. La référence au chêne et au rocher était à l'évidence proverbiale dès l'époque de l'*Iliade* (22.126), mais son sens matière à controverse dès l'Antiquité. Le contexte d'un vers de l'*Odyssée* (19.163) où elle apparaît suggère qu'elle renvoie peut-être aux temps lointains des origines : « (Dis-moi qui tu es, d'où tu es !) Tu n'es tout de même pas sorti du fameux chêne ou du rocher ! »

5. « Les humains » : ἄνθρωποι *(anthrôpoi),* l'espèce humaine, hommes et femmes confondus (50, 100, 121, etc.), par opposition à ἄνδρες *(andrés),* « les hommes » seuls, à l'exclusion des femmes (45, 95, etc.). J'ai conservé cette distinction dans toute la traduction, parce qu'elle rend compte du préjugé fondamental de la pensée d'Hésiode, à qui les femmes apparaissent comme une sorte de pièce rapportée de l'espèce, un pis-aller imposé aux hommes par Zeus pour leur malheur, afin de rétablir l'équilibre perturbé par le vol du feu (570 *sqq.*).

6. La Piérie est la région située immédiatement au nord de l'Olympe. L'Éleuthère d'Hésiode doit être probablement identifiée

157

à Éleuthères, sur le Cithéron, à la limite de l'Attique et de la Béotie (W.).

7. « Maître de l'idée » : plein de *mètis*. Hésiode donne aux vers 886-900 son explication de cette épithète rituelle. Sur la *mètis*, intelligence rusée, sagacité et intelligence pratique qui caractérise aussi Prométhée (511), *cf.* M. Detienne et J.-P. Vernant : *Les Ruses de l'intelligence. La Mètis des Grecs*, Paris, 1974.

8. « Les honneurs revenant à chacun », leurs « honneurs propres » : les *timai* ; la *timè* d'une divinité comprend l'ensemble de ses prérogatives naturelles, sur lesquelles les autres dieux ne peuvent empiéter et que les hommes doivent lui reconnaître : son domaine géographique, son nom et ses épithètes, ses pouvoirs, ses fonctions. La bonne répartition des *timai* est une mise en ordre de l'univers.

9. « Les dieux donneurs de bienfaits » : les Olympiens (Zeus et les siens), par opposition aux « premiers dieux », les Titans (*cf.* 633-34).

10. Éther : αἰθήρ, « la partie rayonnante, la plus pure et la plus élevée de l'atmosphère » (Ch.).

11. L'union sexuelle qui s'accompagne de « bonne entente » *(philotès)* fait des deux divinités concernées des *philoi* : des proches, des amis. Elle établit entre eux l'équivalent d'un pacte d'alliance, *cf.* J. Taillardat : « Philotès, Pistis et Foedus », *REG* 95 (1982/1) pp. 1-14, et A. Bonnafé : *Éros et Éris. Mariages divins et mythe de succession chez Hésiode,* P.U.L., Lyon, 1985.

12. Les Oréades.

13. « Bon cadet » : ὁπλότατος *(hoplotatos)* ; le superlatif qu'Hésiode choisit d'appliquer successivement à Cronos, à Zeus et à Typhon implique à la fois un surplus de jeunesse et un surplus de vigueur. Le plus jeune fils, le dernier-né, est aussi « le mieux armé », le plus dangereux.

14. C'est-à-dire qu'ils avaient forme humaine, qu'ils n'avaient rien de monstrueux, exception faite de leur œil unique.

15. Pour cette traduction de ἄπλαστοι *(aplastoï*, « dont on ne peut pas faire de représentations figurées », sur πλάσσω *(plassô)*, modeler, donner forme), *cf.* West *s.v.* Représenter des êtres terrifiants ou prononcer leur nom (148), c'est risquer de susciter, sans le vouloir, leur apparition.

16. ἄπλητος *(aplètos)* : « qu'on ne peut approcher, terrible » (Ch.). Le sens étymologique ne paraît plus clairement perçu par Hésiode (*cf.* l'emploi qu'il fait du mot en 315, 709), ce pourquoi j'ai opté pour un adjectif de sens vague.

17. ἤχθοντο est généralement compris, à l'exemple de deux occurrences de ἤχθετο dans l'*Odyssée (Od.* 14.366, 19.338), comme un imparfait de ἔχθεσθαι, « être haï » (*cf.* Mazon : « Et leur père les avait en haine » et West, p. 213 : « Uranos hated them »). Mais cette haine n'est pas unilatérale (*cf.* 138). L'inimitié (comme l'amitié) étant toujours sentie par les Grecs comme réciproque, il faudrait au moins traduire : « Et il y avait de la haine entre leur géniteur et eux depuis le commencement. » En outre, ce n'est pas le seul sens possible du texte. Une troisième occurrence de ἤχθετο dans l'*Odyssée (Od.* 15.477) ne peut s'expliquer que comme un imparfait de ἄχθομαι, « être chargé » d'un fardeau, ἄχθος, et c'est peut-être ce verbe que l'on retrouve ici. D'où, sans doute, l'interprétation inverse d'Athanassakis : « All these awesome children... hated their own father. » La traduction adoptée ici s'efforce de conserver cette ambiguïté, peut-être volontaire, du texte d'Hésiode. στεινομένη (160) a de même un double sens. Sur cette double vision de la nature, *cf.* A. Bonnafé : *Poésie, Nature et Sacré*, I (CMO Lyon, 1984), chap. 7.

18. πελώρη *(pélôrè)* : énorme/monstrueuse ; Hésiode apparaît comme le créateur de cette formule, reprise ensuite par le seul Théognis.

19. Le second adjectif donne sans doute la clef de la formule énigmatique, puisqu'il s'applique au fer (*Il.* 9.366, etc.).

20. Les « dents aiguës » de la faucille/serpe rappellent celles des faucilles préhistoriques, à peine courbes et dentelées.

21. La hampe des javelines était faite du bois dur du frêne, *cf.* celle d'Achille, en frêne du Pélion (*Il.* 16.143-44).

22. Hésiode interprète de manière très personnelle (en fonction du mythe qu'il a exposé) l'épithète rituelle Philo(m)mèdée, qui signifie d'ordinaire (et en fait) « amie des sourires » (*cf.* 205).

23. Hésiode s'efforce d'expliquer le nom des Titans par référence à τιταίνειν (*titainéin* : « tendre ») et à τίσις (*tisis* : « le prix à payer en compensation »). Ils trouveront celui-ci « derrière eux », c'est-à-dire par la suite (les Grecs plaçaient l'avenir derrière eux, et non devant, parce qu'on ne l'a pas sous les yeux, à la différence du passé). L'expression renvoie aussi au geste de Cronos (182) et reparaît sous une forme légèrement différente au vers 488.

24. « Sans mensonge ni oubli » et « véridique », Nérée est étranger à tout manquement à la vérité ; il ne la déforme ni volontairement ni par oubli ou omission, ni par erreur. Dans la proximité de Lèthè, la Force-d'Oubli, et des Mensonges (227,

229), *alèthès* reprend son sens plein. *Cf.* H. Schwabl : *Hesiods Theogonie. Eine unitarische Analyse*, Vienne, 1966.

25. Prôthô *Pousse-Devant* : *cf.* West *s.v.*

26. Lèagorè *Parle-au-Peuple* : je suis, pour ce nom, la correction de Fick, reprise par P. Mazon dans son édition de la *Théogonie* (Paris, 1928) ; le texte des manuscrits repris par West, Λειαγόρη, Léiagorè, signifierait *Ramasse-Butin*.

27. « Elles pourraient s'élancer avec un temps de retard » : pour cette traduction de μεταχρόνιαι, *cf.* West *s.v.*

28. Le nom d'Ényô ne suggère pas par lui-même les batailles. Mais cette déesse est, dans l'*Iliade,* la déesse des batailles, associée à Athèna (*Il.* 5.333) ou à Arès (*Il.* 5.592).

29. Poséidon sous sa forme chevaline.

30. αἰόλος *(aiolos)* « se dit chez Homère... d'un serpent qui se tord vivement ; mais aussi de l'éclat scintillant des armes, du métal » (Ch.). Le sens figuré (« divers, changeant, trompeur » Ch.) apparaît en composition avec *mètis* à propos de Prométhée (511).

31. Le pays mythique des Arimes est aussi celui où, pour le poète de l'*Iliade* (2.781-83), se déroule le combat de Zeus contre Typhon et où ce dernier est couché sous la terre.

32. Ces deux vers sont une citation de l'*Iliade* (6.181-82) ; mais ce n'est pas la seule citation du poème (*cf.* 27 et n. 2).

33. Le mont Apésante, ou Apésas, a été identifié comme étant le mont Phoukas qui domine le vallon de Némée. Le col du Tréton était le meilleur passage de la vallée menant de Cléones à Mycènes et à la plaine d'Argos. Il devait ce nom de Tréton (« Troué ») à la proximité de la caverne du Lion ; *cf.* Pausanias 2.15.2-4 et le commentaire de D. Musti et M. Morelli (*Pausania : Guida della Grecia, II, La Corinzia e l'Argolide,* Pise, 1986).

34. Jeunes Filles : peut-être le nom populaire des Océanines (*cf.* West *s.v.*).

35. Zèlos, Nikè, Kratos et Biè (zèle et émulation, victoire, pouvoir/puissance qui fait vaincre et violence/force brutale) sont les parèdres de Zeus et marchent toujours à sa suite (voir n. 36).

36. Littéralement : « Elle est le grand *horkos,* le grand serment des dieux », *cf.* 775-806. Pour les rôles symétriques de *Serment* (Horkos) et de Styx chez les hommes et les dieux et pour celui des enfants de Styx, voir *Éris et Éros*, p. 105-112.

37. « Violence et puissance/pouvoir qui fait vaincre », Biè et Kratos. Ces deux parèdres de Zeus (voir 385 et n. 35) accompagnent donc également Hécate. Tout le passage tend d'ailleurs à lui attribuer des pouvoirs et une aisance à les manifester

comparables à ceux qu'Hésiode prête à Zeus dans le prélude des *Travaux* (1-10).

38. Nouvelle énigme, formée comme celle de 161 de deux adjectifs, l'un fournissant la clef de l'autre, littéralement « la claire/verte Tempêtueuse » ; Glaukè *la Claire* (244) et Glauconomè *des Espaces Clairs* (256) sont deux des Néréides, deux aspects du Flot-Marin, Pontos ; l'adjectif rare δυσπέμφελος s'applique à la mer *(pontos)* dans un vers de l'*Iliade* (16.748).

39. Le butin obtenu par razzia se compose essentiellement du bétail pris à l'ennemi pillé.

40. « Les avalait tout rond » : littéralement « les buvait » ; le verbe choisi par Hésiode insiste sur le fait qu'il ne les mâchait pas, chose essentielle, dans les mythes comme dans les contes, pour qui doit réchapper du ventre de l'ogre. Elle permet aussi la substitution de la pierre emmaillotée à l'enfant Zeus.

41. La position grecque d'accouchement était la position agenouillée, et l'enfant était « reçu » par la sage-femme, la mère ou la nourrice de l'accouchée, rôle tenu par la Terre en 479.

42. Lyctos : une des cités de Crète nommées dans l'*Iliade* (2.647), Lyttos, au Sud de Mallia, sur les premiers contreforts du mont Dicté. Hésiode est le seul à mentionner un mont Égéon sur l'identification duquel les Anciens se perdaient déjà en conjectures. La tradition plaçait la naissance et la grotte de Zeus sur le mont Ida et non sur le Dicté, à l'ouest et non à l'est de la Crète. L'insistance d'Hésiode sur la primauté à accorder à Lyctos témoigne de l'existence probable d'une controverse sur ce point à son époque — controverse dans laquelle il adopte, comme souvent, une position originale.

43. Voir n. 23.

44. Les Cyclopes ; Cronos ne les avait donc pas libérés, de même qu'il n'avait pas délivré les Cent-Bras, Briarée, Cottos et Gygès (*cf.* 617-23). Par suite, le nom de Titans ne s'applique pas à tous les enfants de la Terre et du Ciel, mais seulement à ceux qui sont nommés aux vers 134-37, dieux et déesses (*cf.* 667).

45. Mècônè : selon les Anciens, c'était l'ancien nom de Sicyone (au nord-est du Péloponnèse, à une trentaine de kilomètres de Corinthe).

46. Le vers suggère que jusque-là les premiers hommes profitaient de la foudre attirée par les frênes — du feu donné par Zeus. Mais Hésiode est le seul à établir ce double lien entre les frênes et le feu céleste d'une part, les frênes et le feu utilisé par les hommes, de l'autre.

47. La férule commune *(Ferula communis)* est un arbrisseau

vigoureux de un à trois mètres de haut, assez semblable à un plant de fenouil géant. Sa tige cylindrique a deux ou trois centimètres de diamètre et sa paroi épaisse renferme, entre deux nœuds, une moelle sèche pareille à celle du sureau et qui se consume très lentement. Jusqu'au début de ce siècle, les Grecs l'ont utilisée pour emporter avec eux un tison aux champs.

48. « En contrepartie du feu » : ἀντί *(anti)* implique l'image des plateaux de la balance. Le mal forgé par Zeus pour les hommes rétablit l'équilibre, fait contrepoids à l'avantage indu que leur a accordé Prométhée en volant le feu à leur profit. Même idée aux vers 602, 609.

49. C'est seulement dans le second récit (assez différent) du même mythe *(Travaux,* 42-105) qu'Hésiode donne le nom de Pandore à l'être d'où proviennent, selon lui, toutes les femmes.

50. « Le sans-malice » : ἀκάκητα, « étranger au mal » (traduction traditionnelle : « le bienveillant »), se dit aussi d'Hermès *(Il.* 16.185 ; *Od.* 24.10), autre *trickster* rusé, voleur et inventeur du feu. Il faut peut-être voir, dans cette épithète rituelle, plus que la marque d'un attachement particulier des Grecs à ces deux dieux, une antiphrase apotropaïque (comme dans l'emploi de ἐύς « plein de bravoure » pour qualifier également Prométhée au vers 565). Une volonté comparable de susciter, en répétant qu'elle existe, la bienveillance d'une divinité qui pourrait en manquer se retrouve dans l'insistance (406-408) avec laquelle Hésiode célèbre la douceur de Lètô (que sa « robe sombre » place du côté des divinités chthoniennes et dont les enfants archers sont les dieux de la mort subite) et dans le développement consacré à la puissante Hécate (415-452). *Cf.* aussi le nom de la Chimère, *la Chevrette,* nommée en fonction de son aspect le moins terrifiant.

51. La conclusion de l'exposé mythique n'en contredit pas le début : les vers 527-8 indiquent nettement qu'Héraclès se borne à tuer l'aigle qui dévorait le foie du dieu.

52. Le Ciel ; voir n. 44.

53. L'Olympe et l'Othrys s'élèvent l'un au nord, l'autre au sud de la plaine de Thessalie qui constitue, pour Hésiode, le champ de bataille des dieux.

54. Je crois percevoir dans les deux mots φιλότητος ἐνηέος *(philotètos énèéos),* juxtaposés de part et d'autre de la césure du vers avec un effet de rime et dotés du même nombre de syllabes, l'écho d'une expression de type proverbial présentant les mêmes caractéristiques : φιλότης-ἐνηής. Pour le sens donné à ἐνηής, *cf.* Ch.

55. « De la tête » : approximation ; πραπίδες *(prapidés)* dési-

gne le diaphragme, considéré généralement par les Grecs comme le siège de l'intelligence.

56. Cerbère, *310-312*.

57. Le fleuve Océan coule en quelque sorte vers sa source puisque son cours est circulaire (790-91), ce pourquoi il est aussi le fleuve « achevé » en même temps que parfait (τελήεις : 242).

58. Littéralement : « le grand serment des dieux », voir n. 36. Même idée au vers 805.

59. Hésiode se souvient dans ce passage d'*Il.* 20.61-65.

60. Pour le sens donné à ἀϊδνῆς *cf.* West *s. v.* On a peut-être ici une formule volontairement énigmatique du même type que celles de 161 et 440 (voir n. 19 et 38).

61. J'ai tenté de suggérer ainsi l'existence du jeu de mots institué par Hésiode entre le nom des Heures (″Ωρας, 901) et leur fonction (ωρευουσι, 913), jeu que l'on retrouve sous une forme légèrement différente dans les *Travaux* (30-32).

62. Cet « adieu » marque sans doute la fin du poème, la suite étant due à des continuateurs plus ou moins heureux d'Hésiode. Les vers 1021-1022 permettaient notamment au récitant qui le voulait d'enchaîner sur le *Catalogue des Femmes*.

Index des noms de divinités et de héros

Pour certains noms, on trouvera entre parenthèses les références aux passages dans lesquels leur emploi ne permet pas de discerner clairement leur qualité de *personne* divine. Les équivalents proposés à titre indicatif pour les noms grecs sont en caractères italiques. Seules les épithètes qui se substituent parfois au nom de la divinité correspondante ont été prises en compte.

A

577, 888, 924 ; voir : clairs
(aux yeux), Fille d'un père...,
Pallas Athènè, Tritogénie.
Atlantide (fille d'Atlas :
Maïè) : 938.
Atlas : 509, 517 ; 746 (le fils de
Japet).
Atropos *l'Inflexible* : 218, 905.
Aurore (Éôs) : 19, 372, 378,
451, 984 (voir *Matineuse)*.
Autonoè *Qui-pense-par-elle-
même* : 258 (nom de femme :
977).
Avisée : voir Pronoè.

333, 374, 375, 380, 405, 625,
651, 822, 920, 923, 927, 941,
944, 961, 970, 980, 1005,
1009, 1012, 1018).
Bonne-Escorte : voir Eupompè.
Bonne-Fortune : voir Tychè.
Bonne-Parleuse : voir Évagorè.
Bonne-Victoire : voir Eunikè.
Bons-Ports (des) : voir
Eulim.
Borée : 379, 870.
Briarée/Obriarée : 149, 617,
714, 734, 817.
Brillant : voir Phaéthon.
Brillante : voir Èlectre.
Brontès *Tonnant* : 140.

B

Batailles (Machaï) : 228 (926 ;
sing. 635, 666, 711, 713).
Batailles (des) : voir Ényô.
Beau-Plaisir : voir Euterpe.
Beaux-Agneaux : voir Évarnè.
Beaux-Dons : voir Eudôre.
Belle-Humeur : voir
Euphrosyne.
Bellérophon : 325.
Belles-Eaux : voir Callirhoè.
Belle-Voix : voir Calliope.
Bergère : voir Mèlobosis.
Bête-Marine : voir Cètô.
Biè (Bia) : voir *Violence*.
Blanche-Foudre : voir Argès.
Blonde : voir Xanthè.
Boiteux (Hèphaïstos) : 571,
579, 945.
Bonne-Entente (Philotès) : 206,
224 ; (125, 132, 177, 306,

C

Cadmos : 937, 975.
Cadmos (fille de), Cadméis :
940.
Calliope *Belle-Voix* : 79.
Callirhoè *Belles-Eaux* : 288,
351, 981.
Calypsô *l'Enveloppante* : 359,
1017.
Capable : voir Dynamène.
Célèbre : voir Clytie.
Céleste : voir Ouranie.
Celle-des-Cavernes : voir Spéiô.
Céphalos : 986.
Cerbère : 311.
Cercéis *des Trembles* : 355.
Cètô *Bête-Marine* : 238, 270,
333, 336.
Chaos : voir *Abîme-Béant*.

Charites : voir Grâces.

Chevaux : voir Hippô,
Hipponoè, Hippothoè,
Ménippè.

Chevrette (la) : voir Chimère.

Chimère *la Chevrette* : 319
(322, 323).

Chiron : 1001 ; voir Phillyra
(fils de).

Chrysaor *Glaive-d'Or* : 281,
287, 979.

Chryséis *la Dorée* : 359.

Ciel (Ouranos) : 45, 106, 127,
133, 147, 154, 159, 176, 208,
421, 463, 470, 644, 702, 891 ;
(71, 110, 373, 382, 414, 427,
517, 679, 685, 689, 720, 723,
737, 746, 761, 779, 808, 820,
840, 847).

Ciel (fils/descendant du) :
(Ouranide) 486, 502 ;
(Ouraniôn) 461, 919, 929.

Circè *Crécerelle* : 957, 1011.

Claire : voir Glaukè.

Clair-Éclat : voir Éther.

clairs (aux yeux), épithète
d'Athènè : 13, 573, 587, 888,
895, 924.

Clairs-Espaces (des) : voir
Glauconomè.

Clio *Donneuse-de-Gloire* : 77.

Clôthô *Fileuse* : 218, 905.

Clymène *l'Illustre* : 351, 508.

Clytie *la Célèbre* : 352.

Coïos : 134, 404.

Constante : voir Ménesthô.

Cottos : 149, 618, 654, 714,
734, 817.

Cratos (Kratos) : voir *Pouvoir*.

Crécerelle : voir Circè.

Crios : 134, 375.

Cronide : voir Cronos (fils de).

Cronos : 18, 73, 137, 168, 395,
453, 459, 473, 476, 495, 625,
630, 634, 648, 660, 668, 851.

Cronos (fils de), épithète de
Zeus : (Cronide) 53, 412,
423, 450, 572, 624 ;
(Croniôn) 4, 534, 949.

Cyclopes *Yeux-Ronds* : 139,
144.

Cymatolègè *Arrête-Vague* :
253.

Cymô *la Vague* : 255.

Cymodocè *Guette-Vague* : 252.

Cymopolée *Hante-Vague* : 819.

Cymothoè *Vague-Rapide* : 245.

Cyprogénée (Aphrodite) : 199.

Cythérée (Aphrodite) : 196,
198, 934, 1008.

D

Deïmos *Effroi* : 934.

Délie-Seigneur : voir
Lysianassa.

Dèmèter : 454, 912, 969.

Désir (Himéros) : 64, 201.

Destinées (Moires) : 217, 904.

Dikè *Justice* : 902 ; (434).

Dionè : 17, 353.

Dionysos : 941, 947.

Discipline : voir Eunomie.

Discours (Logoï) : 229.

Discours-Doubles
(Amphilogiaï) : 229.

Divine : voir Théia.
Donneuse : voir Dôtô.
Donneuse-de-Gloire : voir Clio.
dons : voir Dôris, Dôtô,
   Eudôre, Polydôre.
Dorée : voir Chryséis.
Dôris *des Dons* : 241, 250, 350.
Dôtô *Donneuse* : 248.
Double-Flot : voir Amphirhô.
Duperie (Apatè) : 224.
Dynamène *la Capable* : 248.
Dysnomie *Indiscipline* : 230.

E

Éaque : 1005.
Eau-de-Lait : voir Galaxaure.
Ébranleur de la Terre
   (Poséidon) : 15, 441, 456,
   818, 930.
Échidna *la Vipère* : 297, 304.
Effroi : voir Deïmos.
Èionè *des Grèves* : 255.
Eirènè *Paix* : 902.
Èlectre *la Brillante* : 266, 349.
Embellie : voir Galènè.
Endurante : voir Phérousa.
Énée : 1008.
Enveloppante : voir Calypsô.
Ényô *des Batailles* : 273.
Èôs : voir *Aurore, Matineuse.*
Épiméthée *Pense-Après* : 511.
Érables (des) : voir Acastè.
Èratô *des Amours* : 78, 246.
Érèbe *l'Obscur* : 123, 125 ;
   (515, 669).
Érinyes : 185 ; (472).

Éris *Lutte* : 225, 226 ; (637,
   705, 710, 782).
Éros : voir *Amour.*
Erreur-Désastreuse : voir Atè.
Éson (fils d'), Ésonide : 993,
   999 (Jason).
Espaces-Clairs (des) : voir
   Glauconomè.
Éther *Clair-Éclat* : 124 ; (697).
Étoilé : voir Astraios.
Étoilée : voir Astérie.
Étoiles (Astra) : 110, 382.
Eucrantè *Souveraine* : 243.
Eudôre *des Beaux-Dons* : 244,
   360.
Eulimènè *des bons-Ports* : 247.
Eunikè *Bonne-Victoire* : 246.
Eunomie *Discipline* : 902.
Euphrosyne *Belle-Humeur* :
   909.
Eupompè *Bonne-Escorte* : 261.
Eurôpe : 357.
Euryalè *Vaste-Mer* : 276.
Eurybiè *Vaste-Violence* : 239,
   375, 376.
Eurynomè *des Vastes-Espaces* :
   358, 907.
Eurytion : 293.
Euterpe *Beau-Plaisir* : 77.
Évagorè *Bonne-Parleuse* : 257.
Évarnè *des Beaux-Agneaux* :
   259.

F

Falaises (des) : voir Actaïè.
Famine (Limos) : 227.

Fêtes (des) : voir Thalie.
Fileuse : voir Clôthô.
Fille d'un père plein de force
    (Obrimopatrè) : 587
    (Athènè).
Fleuve-Océan (Océanos) : 20,
    133, 215, 242, 265, 274, 282,
    288, 292, 294, 337, 362, 368,
    383, 695, 776, 789, 816, 841,
    908, 959, 979.
Fleuves (Potamoi) : 337, 348 ;
    (109, 367).
Flot-Marin (Pontos) : 107, 132,
    233 ; (109, 182, 189, 241,
    252, 678, 696, 737, 808, 841,
    844, 873, 877, 964).
Flot-Vif : voir Ocyrhoè.
Force d'Hèraclès (Is
    Hèraclèiè) : voir Hèraclès le
    Fort.
Force-d'Oubli (Lèthè) : 227.
Force-Virile : voir Ianéira.
Fortune : voir *Tychè*.
Fouet-d'Eau : voir Plexaure.
Foyer : voir Histiè.
Frênes (des) : voir Méliennes.

G

Gaia/Gè : voir *Terre*.
Galatée *Teint-de-Lait* : 250.
Galaxaure *Eau-de-Lait* : 353.
Galènè *l'Embellie : 244.*
Gardienne-des-Mers : voir
    Halimèdè.
Gardienne-du-Peuple : voir
    Laomèdè.

Géants : 50, 185.
Gèras : voir *Vieillesse*.
Géryon : 287, 309, 982.
Glaive-d'Or : voir Chrysaor.
Glaukè *la Claire* : 244.
Glauconomè *des Espaces-
    Clairs* : 256.
Gorgones : 274.
Grâces (Charites) : 64, 907,
    946 ; (sing. charis : 583 ;
    503 : reconnaissance).
Grées *les Vieilles* : 270, 271.
Grèves (des) : voir Èionè.
Guêpe-Goulue : voir
    Pemphrèdô.
Guette-Vague : voir
    Cymodocè.
Gygès/Gyès : 149, 618, 714,
    734, 817.

H

Hadès (Aïdès) : 311, 455, 768,
    774, 850 ; voir Aïdôneus.
Halimèdè *Gardienne-des-
    Mers* : 255.
Hante-Vague : voir
    Cymopolée.
Harmonie : 937, 975.
Harpyes *les Ravisseuses* : 267.
Hèbè *la Jeunesse* : 17, 922,
    950 ; (988).
Hécate : 411, 418, 441.
Hèlios : voir *Soleil*.
Hémathion : 985.
Hèmèrè : voir *Journée*.

L

Lachèsis *Tire-au-Sort* : 218, 905.

lait : voir Galatée, Galaxaure.

Lamentation (Oïzys) : 214.

Laomèdè *Gardienne-du-Peuple* : 257.

Latinos : 1013.

Lèagorè *Parle-au-Peuple* : 257.

Lèthè *Force-d'Oubli* : 227.

Lètô : 18, 406, 918.

Limoneuse : voir Asie.

Limos : voir *Famine*.

Lion (de Némée) : 327.

Logoï : voir *Discours*.

Longues-Traversées (des) : voir Pontoporéia.

Lot-Fatal (Moros) : 211.

Lumineux : voir Phoïbos.

Lumineuse : voir Phoïbè.

Lune (Sélènè) : 19, 371.

Lutte : voir Éris.

Lysianassa *Délie-Seigneur* : 258.

M

Machaï : voir *Batailles*.

Maïè (Maïa) : 938.

Maîtresse : voir Méduse.

Matineuse (Èrigénée) : 381 (l'Aurore).

Mèdéè *Subtils-Desseins* : 96.

Mèdéios : 1001.

Méduse *Maîtresse* : 276.

Mêlées (Hysminai) : 228 ; (631, 663, 672, 712).

Méliennes *Nymphes des Frênes* : 187.

Mélitè *Toute-de-Miel* : 247.

Mèlobosis *Bergère* : 354.

Melpomène *Qui-chante-et-danse* : 77.

Memnon *Tient-Bon* : 984.

Mémoire (Mnèmosyne) : 54, 135, 915.

Ménesthô *la Constante* : 357.

Mènippè *Qui-retient-les-chevaux* : 260.

Ménoïtios : 510, 514.

Mensonges (Pseudéa) : 229 ; (27).

Merveilleux : voir Thaumas.

Mètis *l'Idée* : 358, 886 ; (471).

Meurtres (Phonoï) : 228.

Mille-Dons (des) : voir Polydôre.

Mille-Hymnes (des) : voir Polymnie.

Mille-Pensées (des) : voir Poulynoè.

Minos : 948.

Mnèmosyne : voir *Mémoire*.

Moires : voir *Destinées*.

Mômos : voir *Sarcasme*.

Monts (Ouréa) : 129, (130, 835, 1001) ; sg. 860, 865 (ouros) ; 2, 424 (oros).

Moros *Lot-Fatal* : 211.

Mort (Kère) : 211.

Morts (Kères) : 217.

Muses : 1, 25, 36, 52, 75, 93, 94, 96, 100, 114, 916, 966, 1022.

N

Nausinoos *Tout-aux-Nefs* :
1018.
Nausithoos *aux-Nefs-Rapides* :
1017.
Né-au-Loin : voir Télégonos.
nefs : voir Nausinoos,
Nausithoos.
Néikéa : voir *Querelles*.
Nèmertès *la Véridique* : 262 ;
(235).
Némésis *Réprobation* : 223.
Nèrée : 233, 240, 263, 1003.
Nèréides (filles de Nérée) :
1003.
Nèsaiè *des Iles* : 249.
Nèsô *l'Ilienne* : 261.
Nikè : voir *Victoire*.
Notos : 380, 870.
Nuit (Nyx) : 20, 107, 123, 124,
211, 213, 224, 744, 748, 757,
758 ; (sing. : 176, 275, 481,
525, 726, 788 ; pl. : 56, 722,
724).
Nymphes du Soir : cf.
Hespérides.
Nyx : voir *Nuit*.

O

Obriarée : voir Briarée.
Obscur : voir Érèbe.
Océan/Océanos : voir *Fleuve-
Océan*.
Océanine (Océanide) : 364,
389, 507, 956.

Ocypété *Vol-Vif* : 267.
Ocyrhoè *Flot-Vif* : 360.
Oïzys : voir *Lamentation*.
Olympien (Zeus) : 390, 529,
884.
Onéiroi : voir *Songes*.
Orthos : 293, 309, 327.
Oubli (Force-d') : voir Lèthè.
Ouranides : voir *Ciel*
(fils/descendant du).
Ouranie *la Céleste* (Uranie) :
78, 350.
Ouranos : voir *Ciel*.
Ouréa : voir *Monts*.

P

Paix : voir Éirènè.
Pallas : 376, 383.
Pallas Athènè : 577.
Panique (Semeur-de-) :
Phobos.
Panopée *Voit-Tout* : 250.
Parle-au-Peuple : voir
Lèagorè.
Pasithée *Toute-Divine* : 246.
Pasithoè *Entre-toutes-Rapide* :
352.
Pégase *Vives-Eaux* : 281, 325.
Peine (Temps-de-) (Ponos) :
226 ; (629, 635, 881).
Péithô *Persuasion* : 349.
Pèlée : 1006.
Pélias : 996.
Pemphrèdô *Guêpe-Goulue* :
273.
Pense-Après : voir Épiméthée.

173

Qui-pense-par-elle-même : voir Autonoè.

Qui-retient-les-chevaux : voir Ménippè.

R

Rafale : voir Aellô.

Rapide : voir Thoè ; voir aussi : Cymothoè, Hippothoè, Nausithoos, Pasithoè.

Ravisseuses : voir Harpyes.

Réprobation : voir Némésis.

Rhéia, Rhèiè/Rhèè (Rhéa) : 135, 453, 467, 625, 634.

Rhodée *des Roses* : 351.

Richesse : voir Ploutô ; voir aussi Ploutos.

Robuste : voir Sthennô.

Rochers (des) : voir Pètraiè.

Roses (des) : voir Rhodée.

S

Sables (des) : voir Psamathè.

Saô *Salvatrice* : 243.

Sarcasme (Mômos) : 214.

Sauvage : voir Agrios.

Savante : voir Idye.

Sélènè : voir *Lune*.

Sémélè : 940, 976.

Serment (Horkos) : 231 ; (400, 784, 805).

Serpent : 334 ; (299, 322, 825).

Soir (Nymphes du) : voir Hespérides.

Soleil (Hèlios) : 19, 371, 760, 956, 958, 1011.

Sombre-Crinière (Poséidon) : 278.

Sommeil (Hypnos) : 212, 756, 759.

Songes (Onéiroi) : 212.

Souffrances (Algéa) : 227 ; (621).

Souveraine : voir Eucrantè.

Spéiô *Celle-des-Cavernes* : 245.

Splendeur : voir Aglaïè.

Stéropès *Vif-Éclair* : 140.

Sthennô *la Robuste* : 276.

Styx *l'Horreur* : 361, 383, 389, 397, 776, 805.

Subtils-Desseins : voir Mèdée.

Support de la Terre (Poséidon) : 15.

T

Tartare (Tartara) : 119 ; (841) ; (Tartaros) : 822 ; (682, 721, 723a, 725, 736, 807, 822, 868).

Teint-de-Lait : voir Galatée.

Teint-de-Violette : voir Ianthè.

Tèlégonos *Né-au-Loin* : 1014.

Télestô *l'Achevée* : 358.

Temps-de-Peine (Ponos) : voir *Peine*.

Terpsichore *Plaisir-des-Rondes* : 78.

Terre (Gaia) : 20, 45, 117, 126,

Table

Rivages poche /Petite Bibliothèque
Collection dirigée par Lidia Breda

Rivages poche / Bibliothèque étrangère

Achevé d'imprimer en septembre 1998
sur les presses de l'Imprimerie Robert
200, avenue de Coulins - 13420 Gémenos
pour le compte des Éditions Payot & Rivages
106, bd Saint-Germain - 75006 Paris

6e édition

Dépôt légal : janvier 1993